D1299447

La Lumière et la Pellicule

LIFE LA PHOTOGRAPHIE

La Lumière et la Pellicule

par les Rédacteurs des Éditions TIME-LIFE

TIME-LIFE International (Nederland) B.V.

Traduit de l'anglais par Serge Ouvaroff
et revu par Marcel Bovis

COUVERTURE : Trois éléments sont à la base même de tout processus photographique : la lumière, ici une ampoule de 300 watts ; la surface sensible, ici un morceau d'une pellicule de 35 mm ; enfin un des moyens dont dispose le photographe pour contrôler l'interaction de la lumière et de la surface sensible, une échelle des 10 zones de gris, qui lui permet de traduire les couleurs naturelles en une gamme maniable de gris sur sa photographie.

Table des matières

Introduction

Lorsque le photographe prend en main son appareil photographique, il affronte un formidable ensemble de choix tant esthétiques que techniques. Quelle pellicule lui faut-il employer? Comment éclairer la scène à photographier — se contentera-t-il de la lumière naturelle, emploiera-t-il un flash ou un projecteur? Pour obtenir des résultats plaisants par rapport à l'appareil photographique, quels angles d'éclairement doit-il adopter? Avec quelle ouverture relative et quelle durée d'exposition aura-t-il la netteté de détail et les tons subtilement nuancés indispensables à une belle photographie?

Ces questions mettent souvent dans l'embarras même le photographe le plus expérimenté, qui souhaiterait leur trouver des réponses en toute certitude. Pourquoi sont-elles si complexes? La raison réside dans leur interdépendance. Une décision relative à l'éclairement affecte toujours l'exposition et l'emploi de telle ou telle pellicule peut conduire à modifier les autres choix. Ces problèmes, que l'on a d'ailleurs parfois compliqués arbitrairement, semblent mystérieux, car ils font entrer en jeu cet élément physique très remarquable qu'est la lumière, ainsi que ses réactions sur les substances plus matérielles de notre monde et en particulier sur certains composés de l'argent à la surface même de la pellicule.

La compréhension de quelques faits fondamentaux relatifs à la lumière permet de dissiper ce côté mystérieux de la photographie et de ramener ses complexités à de plus justes conceptions. Ce volume de la collection LIFE La Photographie traite de la nature de la lumière, de l'évolution de la pellicule moderne depuis l'époque de la découverte des effets de la lumière sur les surfaces sensibles, des types de pellicules actuellement sur le marché et de leurs emplois, des posemètres et de leur maniement pour déterminer avec précision la durée d'exposition à adopter, des sources d'éclairage artificiel et de la création d'agréables effets de lumière. Ces divers sujets couvrent les problèmes fondamentaux qu'affronte celui qui prend une photographie. Le présent ouvrage montre comment les objectifs techniques d'un « bon » négatif peuvent être associés aux exigences esthétiques d'une image de tout premier ordre.

Les rédacteurs

La lumière et le photographe 1

L'action de la lumière 12

Comment les photographes exploitent la lumière 26

KEN KAY : *Image d'une pomme projetée par l'objectif dans l'intérieur d'un appareil vu en coupe,* 1969

L'action de la lumière

Toute personne capable de manier un appareil photographique comprend aisément qu'une photo dépend essentiellement de la lumière. De toute évidence, c'est la même lumière qui nous permet de voir et qui impressionne la pellicule. Cependant, cette importance de la lumière en photographie dépasse largement le cadre de cette constatation et elle prend des aspects qui ne sont pas à priori toujours évidents; en effet, la qualité et le caractère de la photo sont fonction de la qualité et du caractère de la lumière. De la source lumineuse dépend le résultat; la lumière naturelle et la lumière répandue par une ampoule électrique donnent des images différentes. (Les lumières fluorescentes conduisent à d'autres résultats encore). La couleur de la lumière — et toute lumière est colorée, quoique la sensibilité de l'œil ne permette pas toujours de distinguer cette coloration — influe sur la photo en couleurs mais aussi sur la simple photo en noir et blanc. Les substances physiques — vêtements, murs, surface d'un lac — réagissent sur la nature de la lumière et, par conséquent, modifient son action sur la pellicule. Quoique invisible pour nous, l'air que nous respirons peut influer notablement sur la nature d'une photographie, effet d'ailleurs variable selon l'heure de la journée.

A priori du moins, ces divers effets de la lumière sur la photo nous paraissent parfois surprenants. Ce que nos yeux voient, ce que l'appareil photographique nous restitue sont deux choses différentes. Il faut en chercher l'explication dans la nature même de la pellicule. Surface sensible, celle-ci ne travaille pas de la même façon que la rétine humaine et, point plus important encore, il lui manque le concours du cerveau, qui interprète les signaux transmis par le nerf optique et complète le phénomène de la vision. Ces défauts d'harmonie entre les éléments de la photo peuvent ruiner l'image obtenue par un photographe non averti, mais d'autres photographes sauront en profiter pour obtenir des effets surprenants. L'exemple le plus simple nous est fourni par la diapositive d'une photo prise en intérieur sur une pellicule conçue pour l'extérieur; l'image comporte uniformément une coloration rouge. La raison en est que la lumière produite par une ampoule électrique ordinaire est plus rouge que la lumière du jour; la pellicule couleur traduit fidèlement ce fait et il en va différemment de la vue humaine (automatiquement le cerveau corrige la teinte rouge due à l'éclairage).

Si l'on emploie des pellicules noir et blanc, les influences de la qualité de la lumière sont plus subtiles encore. Toutes les pellicules noir et blanc ordinaires sont sensibles à des radiations lumineuses que l'œil ne perçoit pas; par ailleurs, elles sont plus sensibles que l'œil aux colorations bleues, mais moins sensibles que lui aux colorations rouges. Dans une photo de paysage, par exemple, un ciel céruléen peut ressortir en blanc et parfois une fleur rose pâle aura des pétales aussi sombres que ses feuilles. Ces déviations par rapport à ce que l'œil considère comme normal peuvent être corrigées — ou volontairement accusées — pour peu que le photographe ait saisi quelques considérations fondamentales, relatives à la lumière et ses interactions avec les substances matérielles.

D'habitude, la lumière est considérée comme une certaine forme de l'énergie et elle correspond de fait à une sorte d'énergie électromagnétique, qui diffère peu des ondes radio, des signaux des émissions de télévision, des rayons X et même de la chaleur. Toutes ces formes d'énergie sont constituées par des ondes qui se propagent, peuvent être réfractées, qui interfèrent les unes avec les autres et réagissent contre un obstacle, le tout à la façon des vagues dans l'eau. Cependant, si l'on demande à un physicien de définir la nature de la lumière, il vous répondra peut-être que, comme les autres ondes électromagnétiques, la lumière est en réalité une forme de la matière, peu différente en définitive de celles des maté-

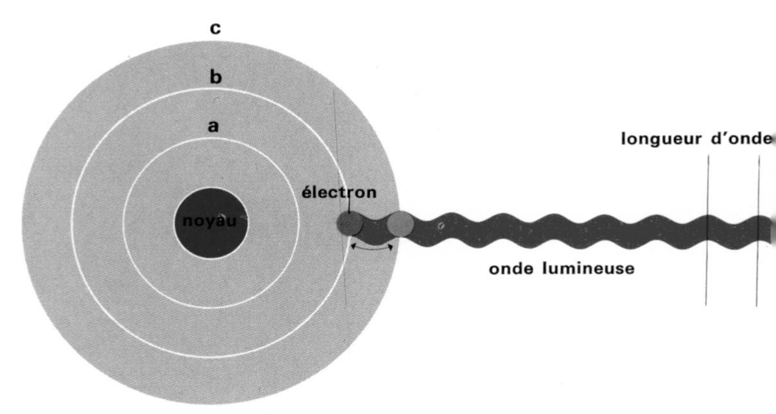

Un atome — par exemple celui de l'hydrogène schématisé ci-dessus — donne naissance à de la lumière lorsqu'un de ses éléments constitutifs, un électron, se met à osciller, mouvement vibratoire symbolisé par un aller et retour entre deux positions extrêmes. Cette oscillation est amorcée par l'apport à l'atome d'une quantité d'énergie de provenance extérieure; une partie de cette énergie absorbée accroît la charge énergétique d'un électron, qui passe d'un niveau donné à un niveau supérieur; du point de vue de la structure de l'atome, ce phénomène se traduit par un brusque changement d'orbite. (L'électron quitte l'orbite b, gagne l'orbite c). Cependant, les niveaux d'énergie les plus élevés, qui correspondent aux orbites les plus éloignées du noyau de l'atome, sont moins stables. Telle une balle que l'on aurait placée dans une position instable sur une étroite étagère, l'électron retombe rapidement à un niveau d'énergie moindre (orbite b). L'énergie qu'il perd est récupérée sous la forme d'une onde lumineuse et sa longueur d'onde (indiquée par des traits parallèles sur le schéma des ondes) est fonction de la différence des niveaux d'énergie correspondant aux deux orbites en question. Dans le cas de l'atome d'hydrogène, le mouvement de l'électron indiqué en l'occurrence engendre une onde lumineuse, dont la longueur d'onde perçue par l'œil correspond dans le cerveau à la notion de rouge.

riaux entrant dans la composition d'une maison. La lumière est faite de particules. Ces particules, les photons, se déplacent en courants comparables à l'écoulement des gouttelettes d'eau d'un tuyau d'arrosage; quand un photon heurte un obstacle, il en résulte un choc décelable; il en est de même pour les gouttes d'eau.

Ce phénomène conduit apparemment à un paradoxe; la lumière peut-elle être à la fois énergie et matière, onde et particule? La réponse est oui pour des raisons qui ne sont d'ailleurs pas compliquées. Toute énergie est une forme de la matière; la fameuse équation d'Einstein $E = mc^2$ (E représentant l'énergie et m la masse de la matière) constitue une traduction de ce fait. Qui plus est, la matière, quelle que soit sa forme, présente certaines caractéristiques ondulatoires et certaines caractéristiques corpusculaires. Les caractéristiques ondulatoires des objets comme une maison sont rarement discernables et peuvent être négligées; la matière ordinaire agit généralement comme si elle était faite de particules. Lorsqu'il est question du genre de matière que nous appelons lumière, la situation est toutefois très différente. En général, les caractéristiques ondulatoires de la lumière sont prédominantes; toutefois, dans certains cas, la nature de particule de la lumière devient évidente. Ainsi, lorsque la lumière réagit sur la substance d'une pellicule, elle se comporte comme une particule; un photon entre en collision avec une molécule de bromure d'argent ou d'iodure d'argent et en modifie partiellement la composition, ce qui provoque l'impression de la pellicule *(pages 124-125).* Cependant, dans la majorité des phénomènes qui intéressent la photographie, la lumière agit comme une onde et dans la plupart des analyses relatives à la lumière faites dans le présent ouvrage, celle-ci sera présentée comme une onde et non sous son aspect corpusculaire de photon.

La lumière en tant que phénomène ondulatoire comporte trois caractéristiques majeures aux yeux du photographe: (1) l'intensité, qui est liée à l'amplitude de la crête de l'onde lumineuse et indirectement détermine la brillance; (2) la longueur d'onde, soit la distance entre deux crêtes successives de l'onde lumineuse. Ce facteur conditionne dans une large mesure la couleur de la lumière; (3) la polarisation. Il s'agit de l'angle de l'orientation de la crête par rapport à l'axe de propagation de l'onde lumineuse. Cette grandeur peut être exploitée à des fins photographiques spéciales. Lorsque l'onde lumineuse et les substances ordinaires — air, surfaces en verre ou en métal, nuages, filtres photographiques — réagissent réciproquement, ces trois caractéristiques majeures se trouvent directement influencées. Tous les effets que nos yeux perçoivent — et parfois ceux entièrement différents que nous photographions — découlent de ces réactions lumière-matière, qui ont leur point de départ dans la genèse même de l'onde lumineuse au sein d'un atome du soleil ou d'un élément d'une simple lampe à incandescence *(ci-contre).*

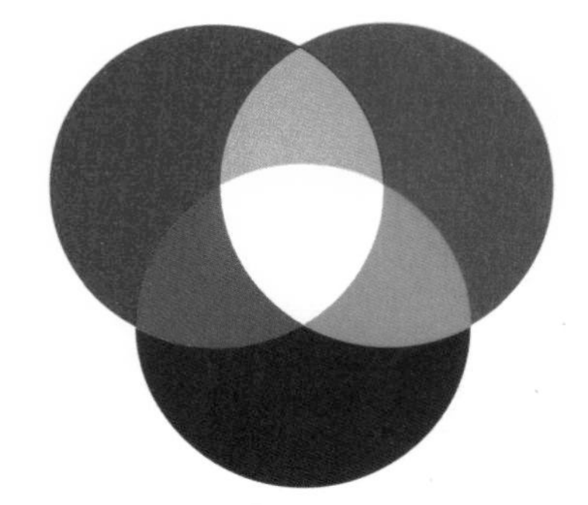

En mélangeant des ondes lumineuses correspondant à des rouges, à des verts et à des bleus d'intensités variées, on peut obtenir n'importe quelle couleur. Chaque teinte est déterminée par sa longueur d'onde dominante et la combinaison de diverses longueurs d'onde se traduit visuellement; ainsi, le rouge et le vert s'associent pour donner du jaune; l'ensemble des trois donne du blanc.

Le spectre électromagnétique

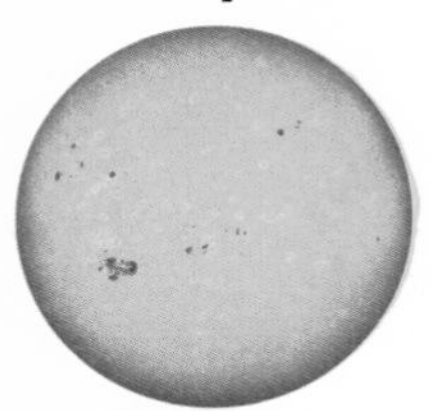

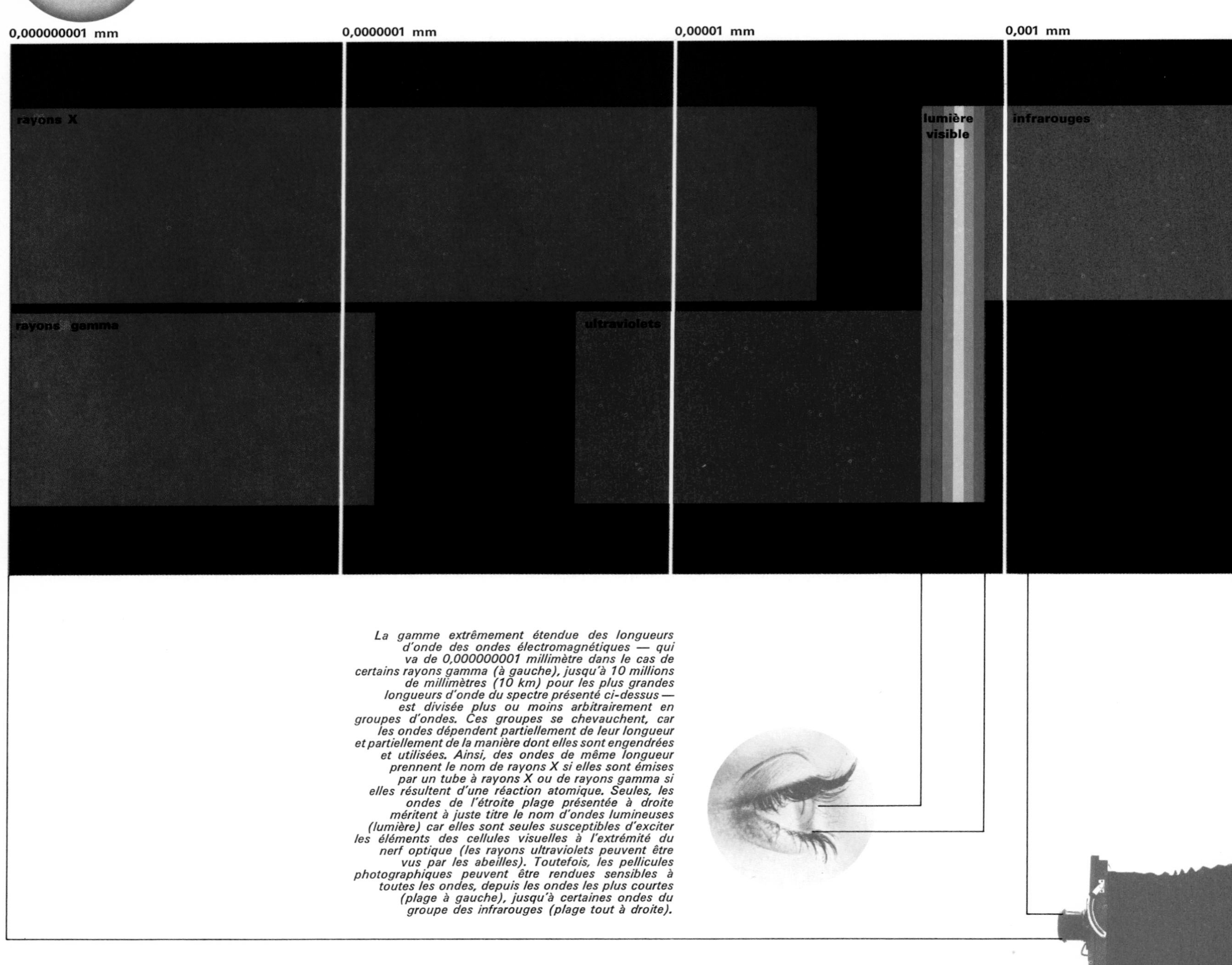

La gamme extrêmement étendue des longueurs d'onde des ondes électromagnétiques — qui va de 0,000000001 millimètre dans le cas de certains rayons gamma (à gauche), jusqu'à 10 millions de millimètres (10 km) pour les plus grandes longueurs d'onde du spectre présenté ci-dessus — est divisée plus ou moins arbitrairement en groupes d'ondes. Ces groupes se chevauchent, car les ondes dépendent partiellement de leur longueur et partiellement de la manière dont elles sont engendrées et utilisées. Ainsi, des ondes de même longueur prennent le nom de rayons X si elles sont émises par un tube à rayons X ou de rayons gamma si elles résultent d'une réaction atomique. Seules, les ondes de l'étroite plage présentée à droite méritent à juste titre le nom d'ondes lumineuses (lumière) car elles sont seules susceptibles d'exciter les éléments des cellules visuelles à l'extrémité du nerf optique (les rayons ultraviolets peuvent être vus par les abeilles). Toutefois, les pellicules photographiques peuvent être rendues sensibles à toutes les ondes, depuis les ondes les plus courtes (plage à gauche), jusqu'à certaines ondes du groupe des infrarouges (plage tout à droite).

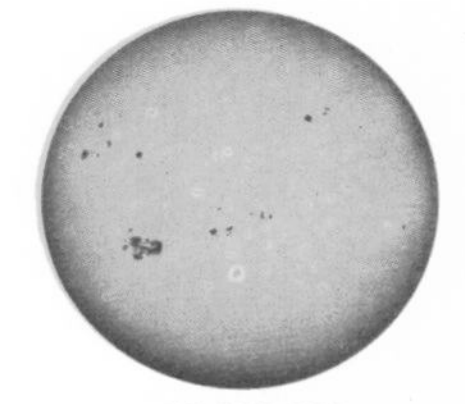

Qu'un même concept englobe les ondes lumineuses et les ondes radio peut paraître étrange; du point de vue physique, ces deux genres d'ondes ne diffèrent que par leurs longueurs. Dans la gamme des ondes électromagnétiques, les ondes radio sont caractérisées par l'importance relative de leurs longueurs d'onde, qui peuvent atteindre jusqu'à 10 000 mètres. A l'autre extrémité de la gamme, on trouve les rayons gamma, résultant de la désintégration des atomes d'éléments radio-actifs; leur longueur d'onde est de l'ordre du millionième de millimètre. Les radiations lumineuses n'occupent qu'une étroite plage, qui s'étage entre des longueurs d'onde de 0,0004 mm et 0,0008 mm.

Dans l'étroite gamme des ondes lumineuses, chaque onde particulière est émise par le soleil, mais l'émission intéressant la longueur d'onde de la gamme des verts est particulièrement intense. Dans le cerveau, le mélange de toutes ces couleurs correspond à la couleur blanche. La fusion des longueurs d'onde s'opère différemment dans le cas de certaines autres sources lumineuses. Les tubes flashes électroniques et les lampes fluorescentes émettent une lumière qui peut n'être composée que d'un nombre restreint de longueurs d'onde différentes. Ces ensembles de diverses longueurs d'onde donnent en photographies des effets artificiels, à moins que leur dosage ne soit calculé pour reproduire la lumière solaire. Les lampes à incandescence émettent à l'exemple du soleil toute une gamme d'ondes lumineuses de longueurs d'onde différentes, mais avec un surcroît d'ondes longues (correspondant aux rouges) par rapport aux ondes plus courtes (correspondant aux bleus).

La répartition entre les diverses longueurs d'onde dépend de la température. Les lampes à filaments incandescents ne sauraient atteindre des températures aussi élevées que celle du soleil et ne peuvent donc émettre proportionnellement autant d'ondes lumineuses de courte longueur d'onde que le soleil. La teinte rougeâtre qui en résulte doit donc être corrigée dans le cas des photos couleurs et n'a qu'une faible importance dans le cas de photos en noir et blanc.

Cependant, la lumière solaire est parfois différente de ce qu'il nous semble. Elle comprend des ondes qui ne correspondent pas à des ondes lumineuses perceptibles, mais qui n'en impressionnent pas moins les pellicules. Au cours du trajet de la lumière à travers l'atmosphère et jusqu'au fond de la chambre noire de l'appareil photographique, n'importe laquelle des ondes visibles ou invisibles qui la composent peut être absorbée, isolée ou émise à nouveau.

L'action de la lumière : suite

L'écran de l'atmosphère terrestre

Antérieurement à l'existence de la vie sur terre, les radiations électromagnétiques émises par le soleil dans sa direction atteignaient toute la planète, à un moment ou à un autre. A l'apparition de la vie correspondit un nouveau genre d'atmosphère, qui forme écran pour la plus grande partie des radiations électromagnétiques d'une longueur d'onde inférieure à celles des ondes lumineuses (ce qui est heureux, les ondes courtes étant susceptibles de détériorer le corps humain). L'importance du flux des autres radiations et la manière dont il traverse l'atmosphère dépendent de la teneur de cette dernière en acide carbonique, en fumées, en poussières et en vapeur d'eau, ainsi que des nuages et même de l'heure de la journée ; ce flux agit sur les pellicules photographiques et ses effets sont parfois gênants, ou surprenants, parfois d'une très grande beauté.

L'atmosphère fait écran aux ondes courtes en raison même de la façon dont celles-ci réagissent en présence de la matière. Lorsque les ondes courtes frappent les molécules de l'air, elles libèrent une partie de leur énergie, qui est convertie en une autre forme d'énergie. Dans de nombreux cas, les électrons des molécules absorbent une certaine quantité d'énergie et passent à des trajectoires correspondant à des niveaux d'énergie supérieure ; inversement, lorsque ces électrons retombent à des niveaux d'énergie moindre, ils libèrent une certaine quantité d'énergie éventuellement sous forme de chaleur. Ces radiations de courtes longueurs d'onde sont donc absorbées et transformées en une forme d'énergie différente.

Ce phénomène n'intéresse que les plus courtes des ondes courtes. Les radiations électromagnétiques, qui échappent à une telle absorption, comprennent (a) quelques radiations de longueur d'onde trop courte pour être visibles, (b) toutes les radiations électromagnétiques échelonnées dans la plage des ondes visibles, (c) la majeure partie des radiations d'une longueur d'onde trop grande pour être visibles. Les plus courtes des ondes invisibles, qui pour une faible quantité réussissent à traverser l'atmosphère, font partie du groupe des ultraviolets. Ces rayons ultraviolets agissent sur les pellicules (en couleurs ou noir et blanc) à la manière de la lumière visible. Le groupe des infrarouges fait partie de l'ensemble des radiations électromagnétiques de longueurs d'onde supérieures à celle de la lumière visible. Les infrarouges ont des longueurs d'onde légèrement supérieures à celle du rouge le plus sombre ; ils sont discernables sur des pellicules spéciales et leur emploi en photographie se révèle d'une grande importance. Grâce aux pellicules infrarouges, on obtient des images à travers des couches nuageuses. La plupart des rayons infrarouges, en effet, ne sont pas arrêtés par les particules en suspension dans les nuages. De telles pellicules, qui n'ont pas besoin de lumière visible pour être impressionnées, peuvent, sous l'effet d'un rayonnement infrarouge, photographier dans l'obscurité ; elles enregistrent les images des objets qui réfléchissent les infrarouges mais d'une façon différente de celle de la lumière visible ; il en résulte des tons, peu naturels, certes, mais d'une beauté surprenante *(pages 148-149)*.

Dans leur traversée de l'atmosphère, les ondes ne sont pas toujours sans subir des influences ; elles perdent de l'énergie au bénéfice des molécules de l'air, mais sans que le processus provoque dans les atomes des accroissements d'énergie entraînant des changements de niveau. L'énergie cédée peut être modifiée d'une façon ou d'une autre, par exemple par changement de la direction de l'axe de propagation, de la direction des vibrations ou de la longueur d'onde. De la longueur d'onde dépend la couleur ; c'est cette modification des ondes lumineuses qui détermine les couleurs des nuages et l'embrasement du ciel au soleil couchant.

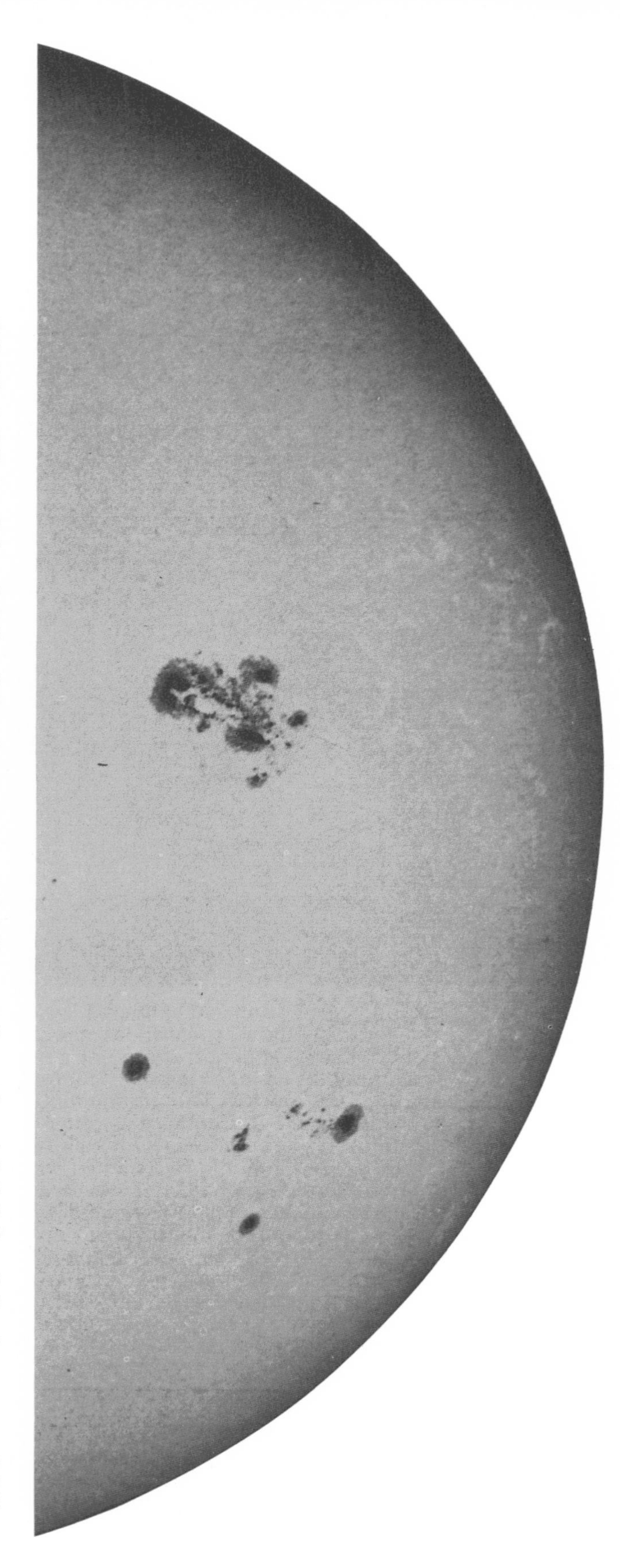

ultr

infra

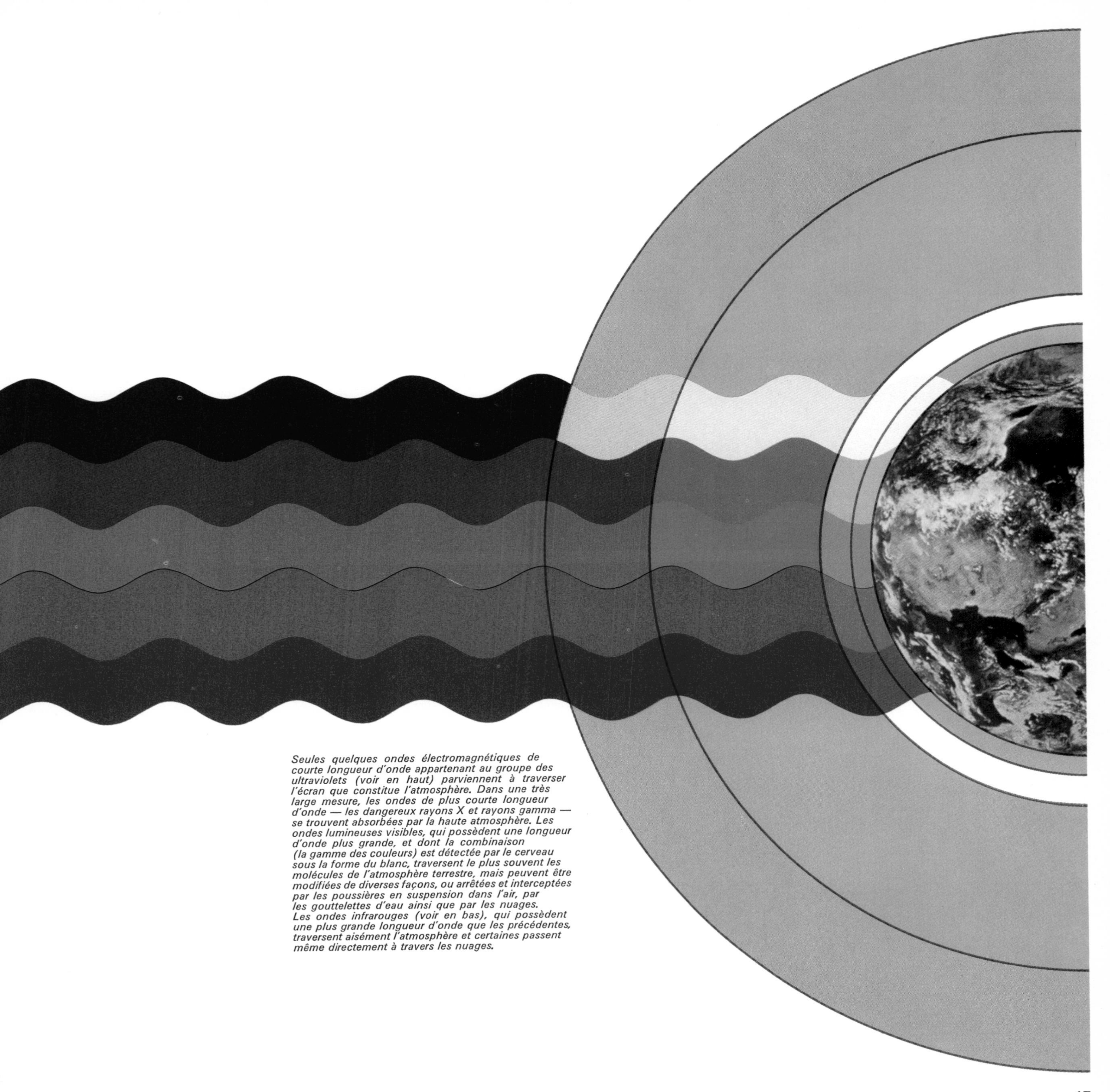

Seules quelques ondes électromagnétiques de courte longueur d'onde appartenant au groupe des ultraviolets (voir en haut) parviennent à traverser l'écran que constitue l'atmosphère. Dans une très large mesure, les ondes de plus courte longueur d'onde — les dangereux rayons X et rayons gamma — se trouvent absorbées par la haute atmosphère. Les ondes lumineuses visibles, qui possèdent une longueur d'onde plus grande, et dont la combinaison (la gamme des couleurs) est détectée par le cerveau sous la forme du blanc, traversent le plus souvent les molécules de l'atmosphère terrestre, mais peuvent être modifiées de diverses façons, ou arrêtées et interceptées par les poussières en suspension dans l'air, par les gouttelettes d'eau ainsi que par les nuages. Les ondes infrarouges (voir en bas), qui possèdent une plus grande longueur d'onde que les précédentes, traversent aisément l'atmosphère et certaines passent même directement à travers les nuages.

La diffusion de la lumière et les couleurs du ciel

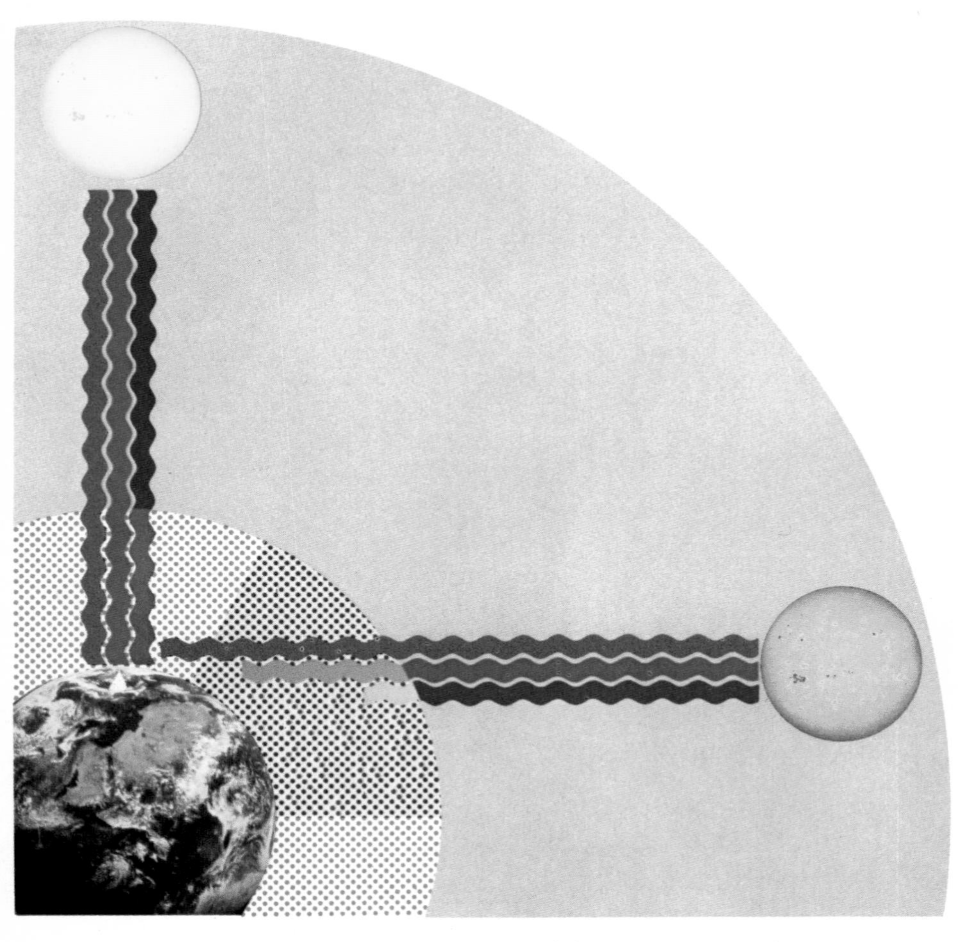

Selon l'heure du jour, la longueur du trajet à travers l'atmosphère que parcourent les rayons lumineux varie; cette variation entraîne des changements de teintes. A son zénith, le soleil culmine directement au-dessus de l'observateur, qui se trouve au point indiqué par la flèche; ses rayons transpercent presque à la verticale l'étroite bande que constitue l'atmosphère. Les molécules de l'air dispersent une quantité plus grande d'ondes lumineuses courtes correspondant aux bleus et une moins grande quantité d'ondes lumineuses plus longues correspondant aux verts ou d'ondes encore plus longues correspondant aux rouges. Le soleil prend alors une nuance jaune (parce que la combinaison des ondes vertes et des ondes rouges nous apparaît jaune) et le ciel se nuance de bleu. Au coucher du soleil, les rayons lumineux atteignent l'observateur obliquement, au terme d'un plus long trajet à travers l'atmosphère; les rayons lumineux ont rencontré davantage de molécules sur leur trajet, d'où un accroissement de la réfraction et de la diffusion de la lumière. Il y a donc diminution de la proportion des ondes bleues et des ondes vertes par rapport aux ondes rouges, qui prédominent dès lors. Le ciel adopte une teinte à reflets rouges et le soleil apparaît jaune-orange.

Les coloris dont se nuance le ciel dans le coucher de soleil présenté à droite résultent du même phénomène qui donne au ciel sa teinte bleutée : la diffusion sélective des ondes lumineuses réfléchies dans toutes les directions par les molécules de l'air (par les particules de poussière et les gouttelettes d'eau). Réagissant sur les ondes lumineuses, les molécules de l'air influent principalement sur les ondes les plus courtes (la gamme des bleus) et assez peu sur les autres longueurs d'onde (les jaunes et les rouges). Réfléchies, ces ondes donnent au ciel sa couleur bleutée.

Lorsque l'observateur aperçoit le soleil à l'horizon, les ondes lumineuses parcourent pour l'atteindre un trajet plus grand à travers l'atmosphère que si l'astre se trouvait au zénith *(schéma de gauche).* Parce qu'elles rencontrent davantage de molécules, la dissémination est plus considérable. La proportion des ondes les plus courtes ainsi diffusées est si grande que l'observateur n'en reçoit qu'une quantité relativement faible; le flux lumineux est principalement composé des ondes plus longues, des jaunes et des rouges et, dès lors, le soleil lui apparaît jaune-orange. Lorsque le ciel est sans nuages, le coucher de soleil n'est pas spectaculaire mais, quand un faisceau d'ondes lumineuses jaune-orange peint littéralement le ciel, il en résulte un chatoiement de couleurs d'une grande beauté, comme celui qui est présenté à droite.

Bas sur l'horizon, le soleil se nuance de teintes différentes de celles qu'il a pendant la journée; de plus, la luminosité du ciel est différente. Tant au coucher qu'au lever du soleil, une plus grande quantité de rayons lumineux se trouvent réfractés à travers l'atmosphère. Il y a dès lors moins de contraste qu'en plein midi entre la luminosité du ciel et l'éclat des rayons directs du soleil. La luminosité du ciel éclaircit les ombres et adoucit les contrastes existant entre les régions éclairées et les régions sombres, ce qui engendre cet éclairement délicat, si prisé des photographes.

HARALD SUND : *Coucher de soleil dans les Rocheuses au parc national du Colorado,* 1969

Diversité des réflexions

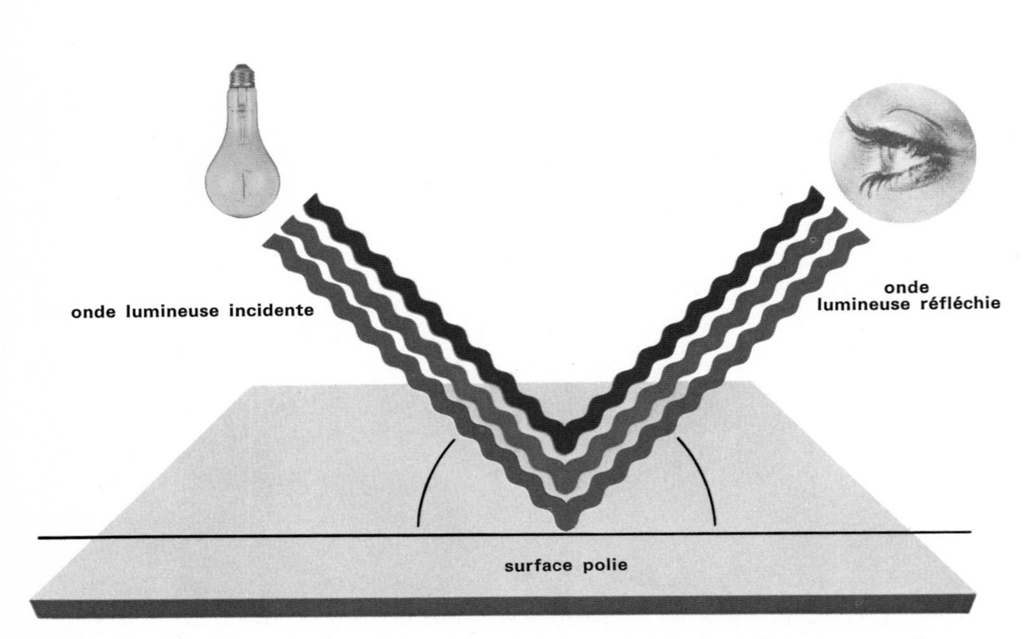

Une surface polie réfléchit les ondes lumineuses comme un mur renvoie une balle. L'angle de réflexion est égal à l'angle d'incidence. Toutes les ondes réfléchies conservent la même organisation que les ondes incidentes et l'œil voit l'image réfléchie de l'ampoule électrique. Si la surface n'est pas polie, les ondes lumineuses l'attaquent sous diverses incidences ; elles sont réfléchies sous divers angles de réflexion. Il y a désorganisation de l'ensemble des ondes réfléchies et il n'y a donc pas formation d'une image.

La lumière que nous envoie le soleil n'est pas polarisée. Comme on le voit pour les ondes rouge clair et rouge foncé présentées ci-dessous, les directions de vibrations sont multiples. Ces ondes peuvent être polarisées, autrement dit amenées à vibrer selon une direction unique, comme l'indique l'existence d'une unique onde rouge pâle (ci-dessous). Ce phénomène se produit lorsque les ondes lumineuses sont réfléchies sous un certain angle par diverses substances non métalliques comme le verre et l'eau, par exemple. La partie de la lumière qui poursuit son trajet à travers la substance en question demeure non polarisée. Les métaux ont des propriétés différentes ; l'arrangement de leurs électrons n'entraîne pas la polarisation des ondes lumineuses réfléchies.

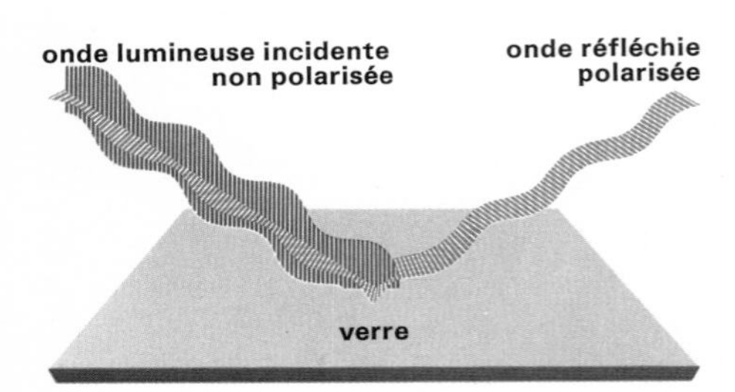

Toute surface unie — une plaque de métal polie, un lac de haute montagne *(à droite)* — renvoie les rayons lumineux et crée une image réfléchie *(schéma ci-dessus)*. Les surfaces métalliques réfléchissent les ondes lumineuses sans en changer fondamentalement la nature. Cependant, certaines autres substances — le diamant, le verre et l'eau — présentent des arrangements différents de leurs électrons et la réflexion de la lumière contre ces substances offre d'autres caractéristiques. Les électrons de leurs couches successives sont liés de telle sorte que l'énergie lumineuse qui vient frapper les électrons de la surface est partiellement transmise aux autres électrons ; la réflexion se trouve alors affaiblie. Lorsque les électrons d'une surface non métallique sont ainsi interdépendants, les ondes qu'ils renvoient peuvent posséder la même direction de vibration *(à gauche)*. Cette faible réflexion peut être neutralisée par addition d'un revêtement à base d'une autre substance (la couche antireflet d'une lentille). Les électrons de ce revêtement inversent le temps de propagation des ondes réfléchies qu'ils renvoient vers les électrons plus en arrière.

HARALD SUND : *Lever du soleil sur un lac du mont Evans (Colorado)*, 1969

La réfraction change la direction de propagation des ondes

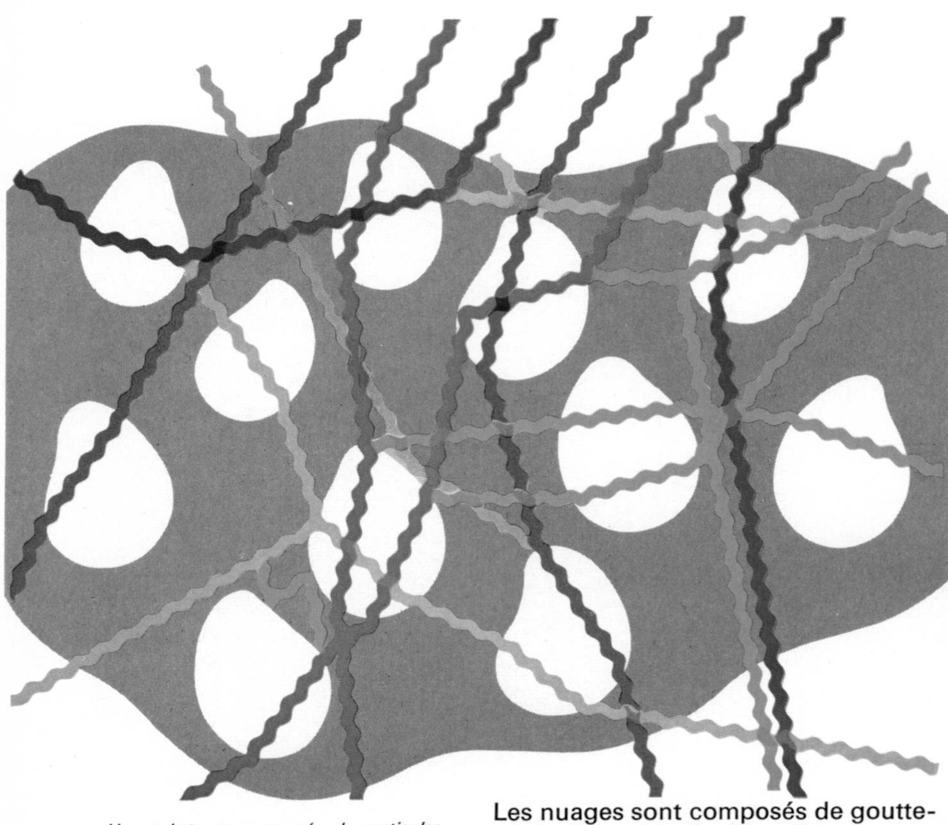

Une substance composée de particules translucides — un nuage, du sucre, par exemple — répand une luminosité diffuse au lieu d'être transparente; ce fait est dû à la façon dont la lumière est réfléchie à la surface de chaque particule, ou réfractée en pénétrant dans ces particules. Si la lumière qui atteint les particules (en haut) est un mélange de diverses ondes lumineuses — qui forment la lumière blanche — la lumière émergente est de même nature (en bas) mais, les directions de propagation des ondes lumineuses se trouvant modifiées, il y a diffusion de la lumière.

Les nuages sont composés de gouttelettes d'eau translucides. Ils nous apparaissent souvent *(photo de droite),* comme une masse diffuse. Ce phénomène est dû entre autres à la réfraction des ondes lumineuses.

En traversant les gouttelettes, les ondes lumineuses changent de direction; elles zigzaguent. Partie des ondes lumineuses est réfléchie par les gouttelettes et ce double phénomène de désorganisation du flux lumineux donne aux nuages une apparence de masse diffuse.

Par réfraction, le verre dévie également la lumière, mais il ne nous apparaît pas comme blanc, sauf lorsqu'il est réduit en poudre. Solidifié comme dans le cas de la lentille d'un objectif, le verre n'entraîne que quelques changements de direction contrôlés des ondes lumineuses qui conservent leur organisation.

HARALD SUND : *Paysage avec ciel nuageux, environs de Hartsel (Colorado)*, 1969

Comment agissent les filtres

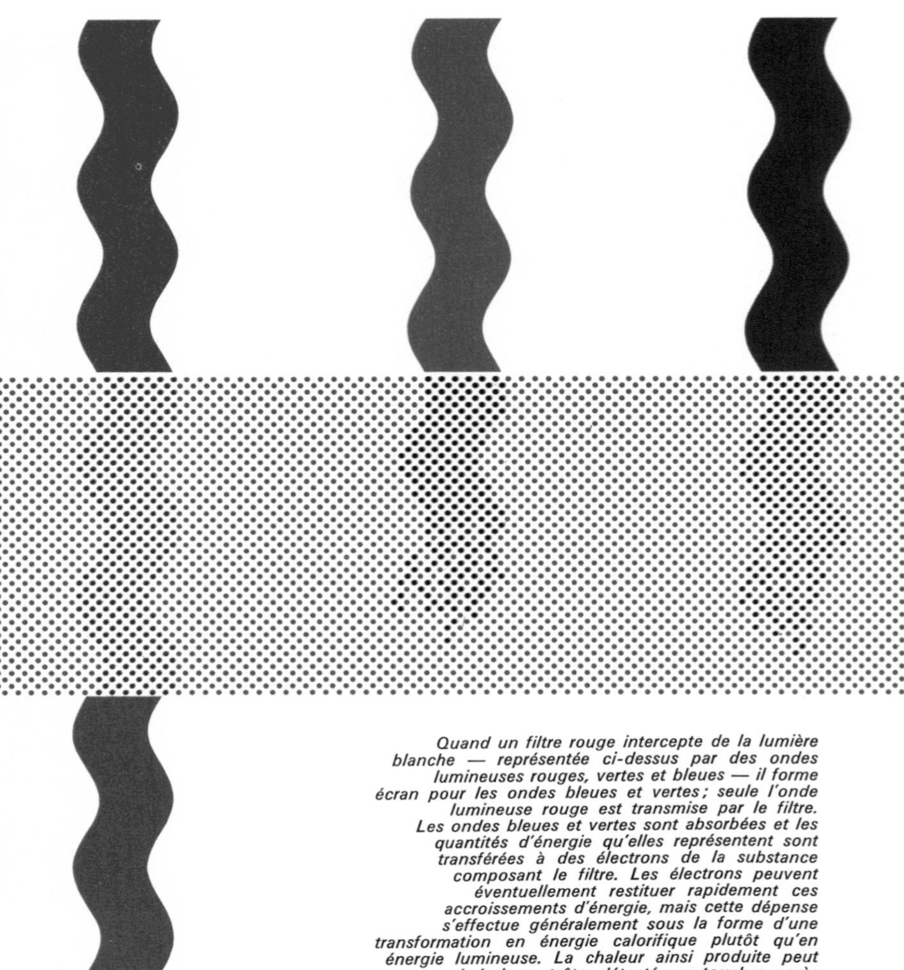

Quand un filtre rouge intercepte de la lumière blanche — représentée ci-dessus par des ondes lumineuses rouges, vertes et bleues — il forme écran pour les ondes bleues et vertes; seule l'onde lumineuse rouge est transmise par le filtre. Les ondes bleues et vertes sont absorbées et les quantités d'énergie qu'elles représentent sont transférées à des électrons de la substance composant le filtre. Les électrons peuvent éventuellement restituer rapidement ces accroissements d'énergie, mais cette dépense s'effectue généralement sous la forme d'une transformation en énergie calorifique plutôt qu'en énergie lumineuse. La chaleur ainsi produite peut généralement être détectée au toucher, après exposition du filtre à la lumière blanche pendant un temps appréciable.

Les disques de verre de la taille d'un homme, présentés ici à droite et qui sont des éléments d'une œuvre moderne due à un sculpteur, agissent exactement à la façon des filtres que le photographe dispose au-dessus de l'objectif de son appareil, pour assurer sur la pellicule un bon rendu des couleurs *(pages 176-177).* En permettant à certaines des ondes lumineuses de les traverser, mais en absorbant certaines autres ondes lumineuses, les disques réalisent des effets multicolores *(schéma à gauche).* La lumière du jour (ce mélange de toutes les couleurs qui forme la lumière blanche) provient des fenêtres de la galerie et paraît tantôt jaune, rouge, bleue ou noire selon les disques ou les combinaisons de disques à travers lesquels elle est perçue.

Un segment du disque bleu (*à droite*) paraît noir parce que cette portion du disque recouvre le disque rouge placé derrière. L'ensemble de ces deux surfaces absorbe toutes les couleurs et ne permet le passage d'aucun élément de la lumière. Cependant, le disque jaune, dont on aperçoit un mince croissant à gauche, ne modifie pas la couleur du disque rouge disposé devant lui et qui le masque partiellement ; ce disque conserve sa couleur. Leurs propriétés absorbantes respectives expliquent le résultat. Un verre jaune absorbe principalement le bleu et laisse passer le jaune, le vert, le rouge (combinaison de couleurs que le cerveau traduit par la notion de jaune). Le disque jaune n'absorbant qu'une faible portion de rouge, il ne modifie pas l'apparence du disque rouge devant lequel il est disposé.

Ce sont les structures moléculaires qui commandent l'absorption de telle ou telle longueur d'onde. Si dans un atome un électron a à sa disposition une orbite libre sur laquelle il puisse sauter sous l'impact d'une onde d'une longueur donnée, l'onde en question se trouve généralement absorbée. Les processus chimiques modernes permettent d'associer n'importe quelle longueur d'onde à un niveau d'énergie et les filtres peuvent être combinés de façon à absorber soit quelques longueurs d'onde, soit une large gamme de longueurs d'onde ou même diverses longueurs d'onde espacées dans le spectre. □

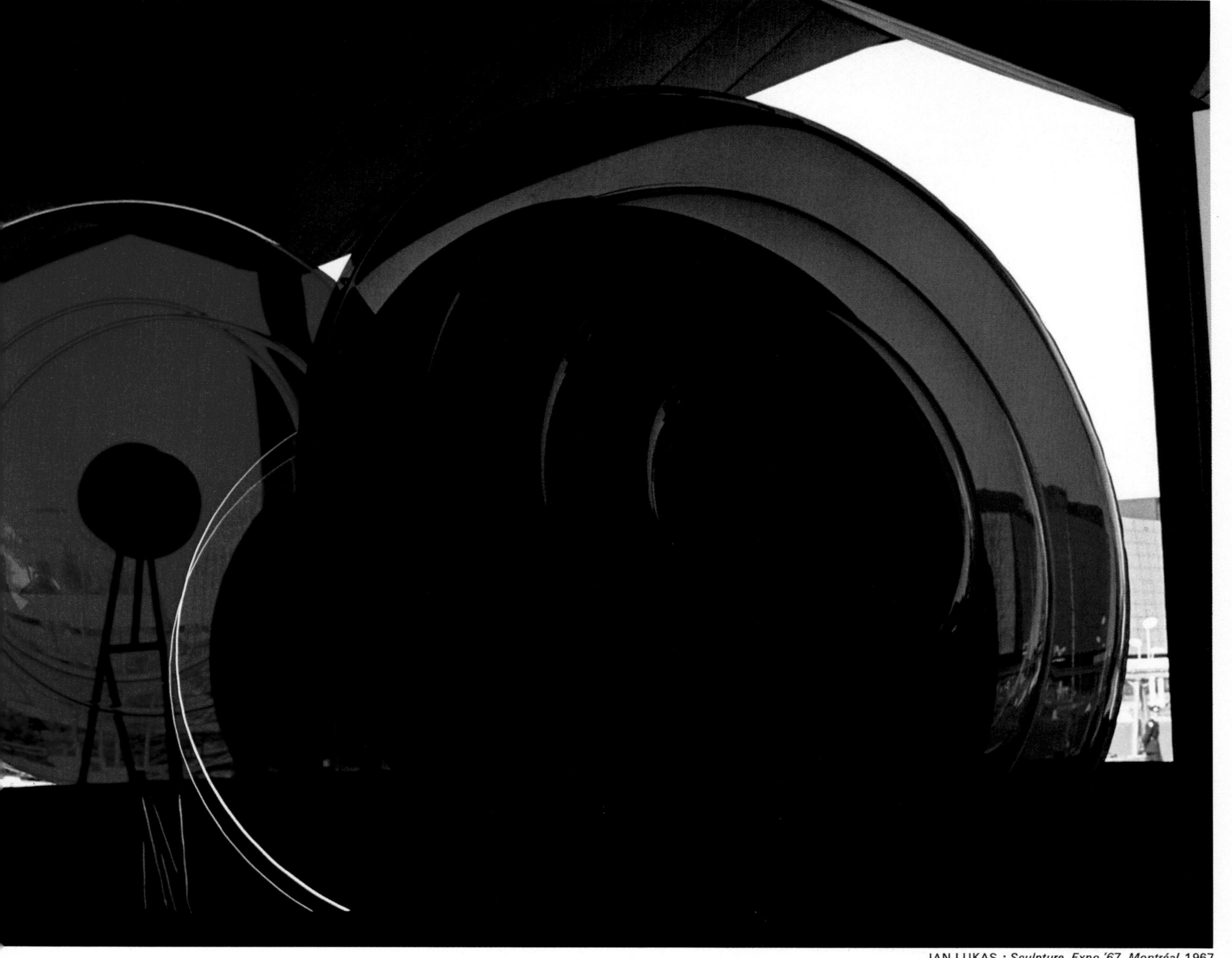

JAN LUKAS : *Sculpture, Expo '67, Montréal,* 1967

Comment les photographes exploitent la lumière

La brutale ligne verticale de lumière blanche, qui dans cette photographie de Charles Harbutt *(à droite)* transperce les ombres, mérite de retenir l'attention. Elle tire littéralement le regard jusqu'au cœur de l'image et, telle une flèche, désigne les mains d'un jeune garçon, pressées à plat contre le mur. La lumière et les mains transmettent la pensée du photographe : le jeune garçon est aveugle; usant du seul moyen dont il disposait, le toucher, il a découvert la lumière.

Cette photographie fait partie d'une série qu'Harbutt a réalisée à l'institution pour aveugles de The Lighthouse, à New York. Après avoir observé pendant plusieurs jours ce garçon douloureusement frustré, Harbutt a remarqué qu'il se servait de ses mains pour rechercher la valeur du soleil, dont les rayons se faufilaient tous les après-midi vers la même heure dans l'étroit intervalle entre deux immeubles. C'était exactement la lumière nécessaire à une photo, c'était aussi un thème.

Comme Harbutt, les photographes dont les images illustrent les pages qui suivent se sont servis des propriétés physiques de la lumière pour rendre leurs photos plus spectaculaires : le plein soleil pour une brutale représentation graphique, un jour brumeux et diffus pour une image au cachet mystérieux et romantique, une lumière à l'incidence choisie afin d'accuser un personnage ou de souligner une forme. L'emploi de la qualité de la lumière est en l'occurrence délibéré, et aucune de ces photos ne relève d'un heureux hasard. Chacune d'entre elles est le fruit d'une parfaite connaissance des effets de la lumière sur une pellicule.

Il n'est pas inhabituel qu'un photographe sérieux consacre beaucoup de temps à apprendre à se servir de la lumière, à réaliser des expériences en ce domaine, comme il le fait pour ce qui est des appareils photographiques et des pellicules. Comme non nombre de remarquables photographes, George Krause, pendant tout le début de sa carrière, n'a opéré que par temps couvert et éclairement diffus. Lorsqu'il a eu l'impression d'avoir dominé les techniques relatives à ce genre d'éclairement, il s'est intéressé à des scènes présentant des contrastes plus violents entre les ombres et les lumières, et il a obtenu d'étonnants résultats présentés page 38. Faire porter tous ses efforts sur un genre particulier d'éclairement apprend au photographe à « voir » la lumière, autrement dit à visualiser les différences qu'entraîne une modification de la lumière. Dès lors, son sens de la perception parfaitement éduqué et aiguisé, il pourra réaliser des images qui correspondront à l'étymologie grecque du mot photographie, littéralement « l'art d'écrire avec la lumière. » Les ombres, les reflets, les effets de lumière, voire la source lumineuse elle-même, deviendront éventuellement les éléments principaux d'une composition dans laquelle les objets ne seront que des accessoires et qui aura pour thème la lumière.

CHARLES HARBUTT : *Jeune aveugle, New York,* vers 1960

L'unité de l'image est fonction de la source lumineuse

ROBERT GNANT : *Berger, Suisse,* vers 1960

IRWIN DERMER : *The Whisperers, Angleterre,* 1966

De même que le soleil nous aveugle si nous regardons droit dans sa direction, n'importe quelle source lumineuse tend à dominer le sujet qu'elle éclaire. Lorsqu'on parvient à établir un équilibre satisfaisant, l'image acquiert une plénitude spéciale. Non seulement nous voyons la composition, mais nous comprenons pourquoi elle se présente à nous de cette façon ; tel est le cas de la photographie d'un berger et de son troupeau au clair de lune *(ci-contre)* réalisée par Robert Gnant ou du portrait de Madame Edith Evans, dû à l'objectif d'Irwin Dermer et dans lequel cette actrice anglaise est représentée en vieille femme solitaire, dans le film *The Whisperers*, son univers se limitant à une table à thé qu'éclaire une lampe électrique.

La création d'une atmosphère

RAY METZKER : *Une rue, Philadelphie,* 1964

Comme dans cette photo de Ray Metzker, un camion dans une petite rue, l'emploi d'une source lumineuse unique — le soleil, un projecteur — projetant sa lumière directement donne des effets brutaux avec des surfaces planes très éclairées et des ombres profondes. L'image a un caractère absolu ; les détails perdent de leur importance du fait des noirs profonds et des blancs lumineux. La composition devient audacieuse, graphique et froide. Pris sous un éclairage aussi direct, un visage ressort davantage comme un croquis que comme un véritable portrait, car un tel éclairage souligne les caractères généraux plutôt que les détails des traits, qui définissent la personnalité du sujet.

La lumière réfléchie ou diffuse — celle que renvoie un mur, qu'épand un ciel couvert — est douce. Elle atténue les ombres, estompe les contours. Somnolant en hiver et déserté par le public, les rires et toute surexcitation, le parc d'attraction qu'a étudié Neal Slavin tire son atmosphère de pays de rêve de la douceur de la lumière, filtrant à travers les tourbillons d'une tempête de neige, qui semble provenir de nulle part ou de partout à la fois.

NEAL SLAVIN : *Coney Island, New York,* 1964

La mise en valeur du thème de l'image

HARRY CALLAHAN : *Avenue Wabash, Chicago,* 1958

La vieille règle qui consiste à tourner le dos au soleil pour prendre une photographie ne saurait être critiquée ; de la sorte, on obtient un éclairement maximum du sujet. Mais le fait que la lumière se propage en ligne droite peut être utilisé de manière plus subtile. Dans la scène de la rue prise à Chicago présentée ci-dessus, Harry Callahan a disposé son appareil photographique de façon que le soleil étincelant, qui se trouve haut dans le ciel à sa gauche et un peu sur l'avant du plan de l'objectif, détache la silhouette d'une femme du sombre mur situé derrière elle. Dans la photographie de groupe des Juifs Asidim, prise à l'occasion d'une cérémonie de mariage *(à droite),* Leonard Freed a mis l'accent sur les expressions des visages et sur la position des mains ; ces éléments sont mis en valeur par la vive lumière projetée horizontalement de la gauche.

LEONARD FREED : *Réception à un mariage israélite, New York,* 1960

Comment souligner les formes et les textures

EDWARD WESTON : *Portail d'église, Hornitos, Californie,* 1940

Dans la photographie d'Edward Weston *(à gauche)*, la lumière qui tombe obliquement à travers la façade d'une vieille église chante la structure d'un matériau naturel, du bois qui a subi les intempéries. Faisant invariablement appel à la lumière naturelle pour l'éclairement de son sujet, Weston attendait parfois des heures entières afin d'équilibrer exactement la qualité de la direction, l'intensité de la lumière et de parvenir aux effets recherchés. Le travail en studio facilite la solution de ces problèmes, car l'éclairement par la lumière oblique peut y être contrôlé avec précision, pour traduire la réalité offerte par les surfaces et les formes. A droite, Pierre Jousson a disposé un unique projecteur, dont le pinceau convenablement dirigé caresse le corps d'un modèle posant nue et cet éclairage engendre des effets d'ombres et de lumière, qui forment contraste et soulignent avec douceur les formes de la femme.

PIERRE JOUSSON : *Nu, Lausanne, Suisse,* 1963

La réflexion donne des vues originales

Les eaux du Pô ont débordé, elles sont étales ; les troncs dépouillés des arbres de cette peupleraie sont dédoublés du fait de la réflexion. Aux yeux du photographe Harold Miller Null, la scène offrait « un entrelacs d'angles et de lignes affectant à ces allées bordées d'arbres un caractère gothique... Si vous veniez à passer par là quelques jours plus tard, vous constateriez que les arbres sont coupés, que les eaux se retirent, que le tout offre un aspect totalement différent et rappelle n'importe quel terrain boueux et sale. »

Différente de cette sensation de la restitution d'un autre temps, que nous donne Null, l'impression d'une transformation de l'espace nous est fournie par la photo aérienne du lac californien de Buena Vista, prise par William Garnett. La puissante et audacieuse image du soleil nous est fournie par sa réflexion dans l'eau du lac. Ce vol d'oies des neiges, toutefois, n'est pas réfléchi par l'eau ; l'image des oies est obtenue directement, car elles volent entre l'appareil photographique placé à bord d'un avion et l'image du soleil réfléchie dans l'eau, ce qui inverse pour nous la position relative normale des oies par rapport au soleil. La complexité des effets est encore accrue par la présence des ombres visibles à la surface du lac et aussi par les images virtuelles du fond de ce lac aux eaux peu profondes. Les points aux contours indécis qui apparaissent en haut à gauche de la photographie résultent des ombres projetées par les oies d'un autre vol, qui passe bien plus haut dans le ciel.

HAROLD MILLER NULL : *Effets de réflexion en hiver, Italie,* 1961

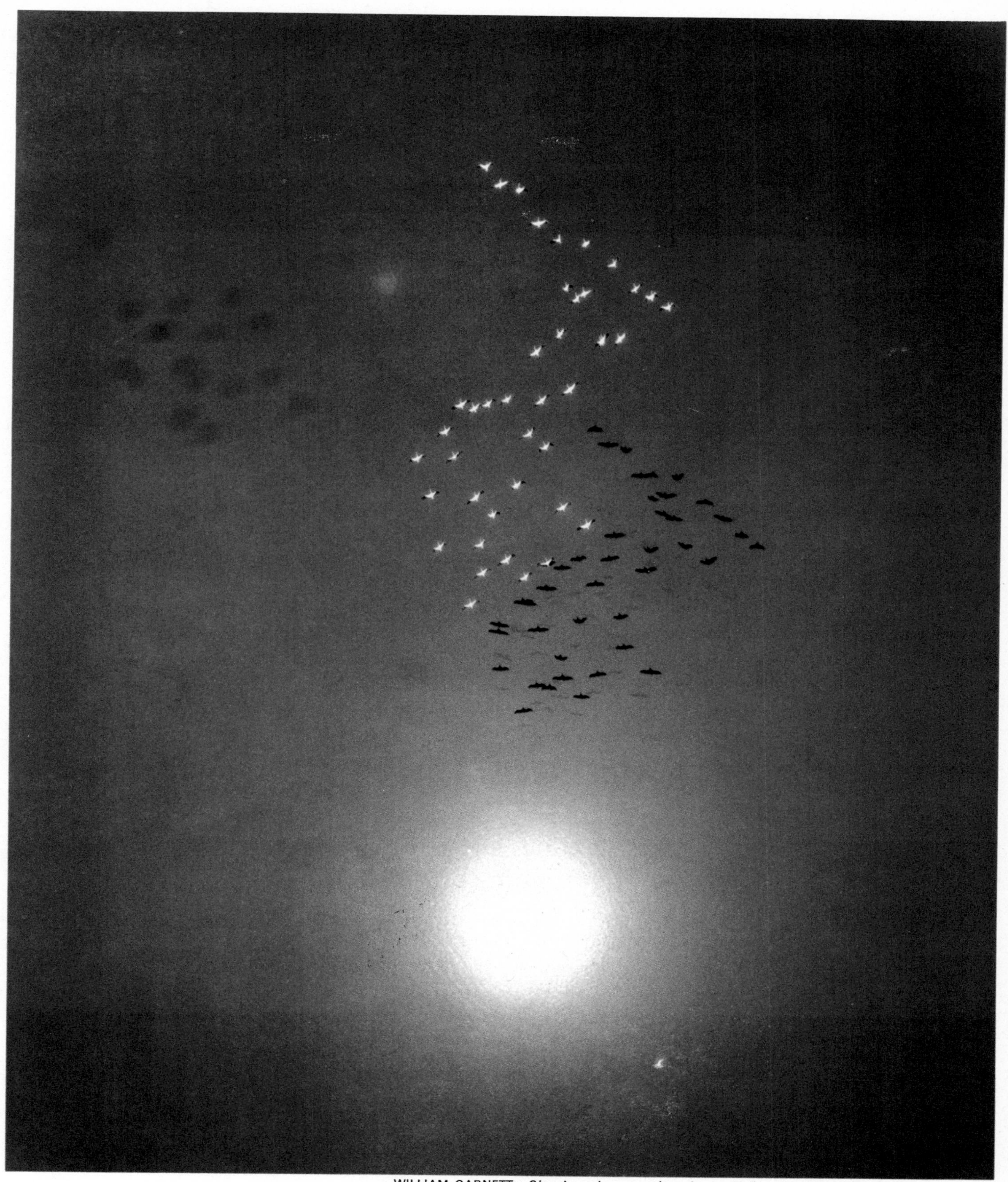

WILLIAM GARNETT : *Oies des neiges en vol au-dessus de l'eau, lac Buena Vista, Californie,* vers 1953

Composition d'ombres

GEORGE KRAUSE : *L'ombre, Séville, Espagne,* 1963

Les ombres de ces deux femmes, l'une surprise dans une rue de Séville, l'autre créée dans un studio de Prague, supportent tout le poids de ces photographies. Dans ces deux compositions, la femme devient presque fortuite. Dans la photographie ci-dessus, la lumière horizontale de ce début du jour découpe une ombre, si prodigieuse aux yeux de George Krause qu'il a réussi à fixer sur sa pellicule une forme enténébrée, évoquant quelque secret s'attachant aux pas de la femme et dont la sinistre insinuation se trouve accusée encore par l'inclinaison de la tête. Dans l'image créée par Frantisek Drtikol *(ci-contre),* une unique lampe de studio est disposée derrière des manchons en papier pour créer les ombres arquées qui complètent la composition.

FRANTISEK DRTIKOL : *Nu, Prague, Tchécoslovaquie,* vers 1920

Effets de lumière vive

KENNETH JOSEPHSON : *Chicago,* 1961

Ce sont les ombres qui construisent les images des deux pages précédentes; sur celles-ci, ce rôle est dévolu à la lumière. C'est sa présence qui crée l'effet; elle engendre les motifs qui saisissent l'œil. Kenneth Josephson a fait jouer son obturateur à l'instant où quatre piétons se trouvent éclairés brusquement par des rayons du soleil, qui se glissent sous une voie du métro aérien de Chicago *(ci-dessus).* Sur cette photo insolite d'un joueur d'orgue mécanique, prise par Lars Werner Thieme, l'arrangement des rayons de soleil qui se sont glissés sous une arcade fournit la substance de l'image et celle-ci paraît plus consistante que la chaussée ou les parois contre lesquelles ce flux lumineux vient buter.

LARS WERNER THIEME : *Le Mercredi des Cendres, Munich, Allemagne,* 1967

Création d'une ambiance mystérieuse

RONALD MESAROS : *Vesta, Topanga Canyon, Californie,* 1966

La brume déferlait du Pacifique un certain après-midi où Ronald Mesaros, muni de son 35 mm Minolta et flanqué de Vesta, son Doberman pinscher, entraîna une amie pour une grande promenade dans les collines des environs de Los Angeles. La brume ne laissait filtrer qu'une lumière diffuse et sans tonalité. Tout juste suffisante pour permettre à Mesaros de détailler les traits du visage de la jeune fille qui l'accompagnait, cette lumière ne lui fournissait que la silhouette de son Doberman noir. Profitant de ce contraste inhabituel, le photographe réussit à obtenir l'image troublante présentée ci-dessus : une jeune fille souriante, qui semble ne prêter aucune attention à la sinistre silhouette dépersonnalisée qui se dresse derrière elle. L'ambiance de cette image, faite de tension, de mystère et de la sensation d'un péril imminent se dissoudrait certainement dans l'aveuglante clarté d'un rayon de soleil. □

Évolution de la pellicule 2

PHOTOGRAPHE INCONNU : *Le studio du photographe Bourgeois, Paris,* vers 1870

Les inventeurs de la photographie

En 1827, un jour qu'il venait d'achever une conférence à la Sorbonne, le réputé chimiste Jean-Baptiste Dumas fut abordé par une femme visiblement troublée. Elle précisa qu'elle était « Mme Daguerre, l'épouse du peintre. » Mon mari, dit-elle, est « obsédé » ; il est convaincu qu'il peut fixer d'une façon permanente les images fugitives que donne une lentille. « Je crains qu'il n'ait l'esprit dérangé. En tant qu'homme de science, croyez-vous une telle réalisation possible ou pensez-vous qu'il soit fou ? »

« Dans l'état actuel de nos connaissances, elle n'est pas faisable, répliqua Dumas, mais je ne saurais affirmer qu'il en sera toujours ainsi, pas plus que je ne puis taxer de folie celui qui chercherait à obtenir de telles images. »

La réponse ne visait pas uniquement à calmer l'inquiétude de son interlocutrice et Dumas avait de bonnes raisons de ne pas repousser l'idée de la possibilité d'enregistrer d'une façon permanente des images à l'aide de la lumière. En tant que chimiste, il savait sans nul doute que certains composés chimiques de l'argent réagissent à la lumière. Au XVIIe siècle déjà, Angelo Sala, un savant italien, signalait un fait : « Si vous exposez du nitrate d'argent en poudre à l'action du soleil, il devient noir comme de l'encre » ; il précisait que, grâce à ces composés chimiques, on avait réussi à fixer des images pendant une courte durée. Un problème extrêmement ardu demeurait sans solution : comment « fixer » l'image obtenue en arrêtant l'action de la lumière pour empêcher que l'image s'estompe et disparaisse ?

En 1727, un siècle avant que Mme Daguerre ne s'entretienne avec Dumas, l'Allemand John Heinrich Schulze, professeur de médecine à l'université d'Altdorf, avait réussi à enregistrer la première de ces images éphémères. Un jour, au cours d'une expérience qui n'avait rien à voir avec l'obtention d'une image grâce à l'action de la lumière, il avait été amené à exposer à la lumière solaire un flacon contenant une solution au nitrate d'argent ; examinant le flacon quelques minutes plus tard, il s'aperçut que la partie de la solution exposée au soleil avait viré au violet, tandis que le reste conservait sa teinte blanchâtre. Lorsqu'il secoua le flacon, le violet disparut.

Intrigué par ce phénomène, Schulze colla sur le flacon des bandes de papier perforé, qu'il tourna vers la lumière. Un peu plus tard, il retira ces bandes de papier ; soulignés par les pourtours des dépôts noirâtres, les motifs blanchâtres — les silhouettes en négatif — du papier écran se détachaient clairement. Était-ce la lumière du soleil ou la chaleur qui avait fait noircir les substances chimiques exposées ? Pour trancher ce problème, Schulze plaça à l'abri de la lumière dans un four chaud un autre flacon contenant le même produit ; la substance ne subit aucune modification. Le phénomène, de toute évidence, était dû à l'action de la lumière. Cependant, l'image ainsi obtenue ne tarda pas à disparaître sous le simple effet de l'éclairage de la pièce ; en très peu de temps, les motifs prirent la même teinte que les dépôts qui les entouraient.

Vers le début du XIXe siècle, Thomas Wedgwood, le fils cadet du célèbre potier anglais Josiah Wedgwood, réalisa des expériences similaires et obtint les mêmes agaçants résultats. Il fit quelques tentatives pour fixer les images données par une lentille dans une chambre noire, cet appareillage fort ancien utilisé par les artistes pour projeter une image sur un écran en verre dépoli. Les résultats furent si minces qu'il s'attacha à obtenir, comme Schulze, des silhouettes en plaçant des feuilles ou des ailes d'insectes sur du papier ou du cuir blanc sensibilisé à l'argent, et en exposant ces objets au soleil. Comme Schulze, il obtint des images en négatif. Il essaya maints procédés pour les fixer, mais sans succès. La lumière, même la plus faible, entraînait le noircissement de l'image qui disparaissait.

En fait, Schulze et Wedgwood étaient sur la bonne voie. L'argent, grâce aux propriétés particulières de ses atomes, donne des composés chimiques et des cristaux, sur lesquels les ondes lumineuses agissent d'une façon subtile et contrôlable *(pages 124-125)*. Au cours du siècle suivant, des hommes, aussi nombreux que d'origines diverses — des savants, des artistes, des imprimeurs, des soldats, des propriétaires terriens, même des prêtres — œuvrèrent à la mise au point de substances à base de sels d'argent et ce long cheminement conduira à la création de la pellicule photographique, qui a fait de la photographie un art à la portée de tous. Aussi singulière que cette constatation puisse paraître, l'argent ne joua aucun rôle dans l'obtention des premières images véritables auxquelles le nom de photographies puisse être associé, et qui furent réalisées en 1824 par Joseph Nicéphore Niepce, gentilhomme, inventeur et lithographe qui vivait à Chalon-sur-Saône. Il les réalisa en faisant appel, entre autres choses, au bitume.

Niepce entreprit ses expériences en partie pour des raisons professionnelles. A l'époque, le tirage des illustrations lithographiques s'obtenait à partir d'une surface plane en pierre qui portait l'image à recopier. Pour reproduire par des procédés lithographiques un dessin au trait, par exemple, on commence par dessiner sur la pierre la représentation inversée du dessin à tirer. Ce travail était effectué par Isidore, le fils de Niepce, mais le jeune homme venait d'être appelé au service. N'ayant aucun talent pour le dessin, Niepce décida de mettre au point une méthode lui permettant de transposer automatiquement un dessin au trait sur la pierre.

Il savait que, exposé à la lumière, le bitume de Judée, un genre d'asphalte, blanchit et durcit rapidement. Il fit dissoudre ce bitume dans de l'huile essentielle de lavande, un solvant employé dans la préparation des vernis. Il enduisit de ce mélange une plaque en étain. Sens dessus dessous, il apposa sur la plaque un dessin au trait, préalablement huilé pour le rendre transparent, et il exposa l'ensemble, c'est-à-dire la plaque et l'illustration, à la lumière du soleil. Le bitume se trouva durci partout où le dessin présentait des régions blanches et où la lumière du soleil pouvait passer aisément ; en revanche, la couche à base de bitume demeura molle et donc dissoluble là où les traits sombres du dessin le protégeaient de la lumière solaire. Après avoir ôté le dessin, Niepce lava la plaque et son enduit en passant le tout à l'huile essentielle de lavande. Cette opération lui permit d'enlever de la plaque le bitume soluble et encore mou, qui n'avait pas été attaqué par la lumière. Les parties de la plaque qui reproduisaient les régions sombres du dessin original ayant servi de matrice étaient alors nettoyées pour dégager le support en étain et passées à l'acide, qui fournissait dès lors par morsure du métal une copie de l'original. Ces lignes en creux recevaient l'encre nécessaire au tirage des héliographies. A ce procédé, Niepce donna le nom d'héliographie, associant au mot grec *graphein* (action d'écrire) le mot *hélios*, nom que les Grecs donnaient au soleil. Il prépara ainsi un certain nombre de plaques héliographiques, permettant le tirage de lithographies représentant la sainte Vierge, l'enfant Jésus, saint Joseph entre autres, puis il entrevit rapidement une utilisation plus intéressante. Pourquoi ne pas placer dans une chambre noire une de ces plaques enduites de bitume et obtenir directement les images de sujets naturels? Disposant avec soin une de ses plaques au fond de la chambre noire d'un appareil muni d'une lentille, il orienta l'ensemble dans la direction d'une fenêtre ouverte qui donnait sur une cour et laissa son objectif en place toute la journée. Une fois retirée de l'appareil et lavée à l'huile essentielle de lavande, la plaque conservait l'image à peine déchiffrable des toits et des cheminées situés devant la fenêtre. Dans le dessein d'obtenir une image plus précise, et aussi de réduire le temps d'exposition, dont la longue durée était peu pratique, Niepce tenta d'utiliser d'autres surfaces sensibles, et par exemple une plaque en cuivre recouverte d'argent, mais les résultats qu'il obtint ne furent guère encourageants.

Le bruit de ses travaux parvint aux oreilles de quelques personnes et, un jour, il reçut une lettre d'un Parisien inconnu de lui, Louis Daguerre. Daguerre l'informait qu'il se livrait également à des recherches sur l'enregistrement des images et suggérait un échange d'informations. Niepce ne répondit qu'avec la plus extrême précaution et, très soupçonneux, il s'adressa, en février 1827, à un de ses correspondants parisiens pour obtenir des renseignements sur Daguerre. « Ce Monsieur ayant eu connaissance, je ne sais dans quelle mesure d'ailleurs, de mes travaux, il m'a écrit l'an passé... pour me faire savoir que depuis longtemps il se préoccupait des mêmes questions et il m'a demandé si j'avais été plus fortuné que lui du point de vue des résultats. Cependant, si on doit l'en croire, il a déjà obtenu des résultats très prometteurs. Toutefois, sans tenir compte de ce fait, il m'a pressé de lui dire en premier si j'estimais la chose possible ou non. Je ne vous cacherai, Monsieur, qu'une apparente incohérence de ses idées m'a incité à ne pas lui en dire trop long... Seriez-vous assez aimable pour me faire parvenir les renseignements que vous détiendriez sur Daguerre et votre opinion personnelle sur son compte. »

La réponse ne fut que modérément rassurante. « Je lui crois, écrivait le correspondant de Niepce, une intelligence rare pour ce qui a rapport aux machines et aux effets de la lumière ; l'amateur, en visitant son établissement (le Diorama), peut s'en convaincre facilement. Je sais qu'il s'occupe depuis longtemps du perfectionnement de la chambre noire, sans néanmoins avoir connu le but de son travail que par vous et par M. le comte de Mandelot à qui vous en avez parlé. »

Cette année-là, au mois d'août, Niepce, qui s'était rendu à Paris, rencontra Daguerre pour la première fois. Mis à part l'intérêt que l'un et l'autre portaient à l'enregistrement des images grâce à la chambre noire, les deux hommes n'avaient apparemment que peu de points communs. Alors âgé de soixante-deux ans, Niepce était d'un milieu aristocratique et, de caractère paisible et réservé, il possédait une solide culture scientifique. La Révolution française avait considérablement diminué sa fortune mais il continuait à tirer de ses propriétés familiales des revenus qui lui permettaient de consacrer la plus grande partie de son temps à des recherches scientifiques. Avant de s'intéresser à ses travaux photographiques, il avait passé quelques années en compagnie de son frère Claude à se pencher sur d'autres inventions, par exemple sur l'extraction de l'indigo en tant que produit colorant et à la mise au point d'un moteur à combustion interne. Aucune de leurs inventions ne se révéla exploitable commercialement, bien que grâce à leur machine ils eussent réussi à faire naviguer un bateau sur la Saône et sur la Seine, en remontant et en redescendant ces cours d'eau.

De 22 ans plus jeune que Niepce, Daguerre était issu d'une famille bourgeoise ; autodidacte dans une large mesure, il ignorait tout des questions scientifiques, mais n'en possédait pas moins un esprit extrêmement talentueux et beaucoup d'énergie. Ses aptitudes pour le dessin l'avaient conduit, à l'âge de seize ans, à faire son apprentissage chez un architecte mais, trois ans plus tard, il changea de métier, devint peintre et s'occupa de décors à l'Opéra de Paris. Il fut parmi les inventeurs du Diorama, alors extrêmement populaire. Ce genre de manifestation, qui avait généralement pour cadre des salles d'exposition spécialement conçues, présentait des panoramas et des scènes célèbres, tels que l'intérieur de la cathédrale de Cantorbury ou des panoramas des Alpes suisses, qui étaient recrées sous une forme tridimensionnelle, grâce à des peintures translucides et à des effets d'éclairage compliqués. Entre autres talents, Daguerre pratiquait la danse, suffisamment bien pour se produire occasionnellement sur la scène de l'Opéra, au sein du corps de ballet; acrobate amateur, il avait la compétence d'un professionnel et la corde raide était pour lui une véritable spécialité.

En dépit de ces différences de milieu, de culture et de caractère, Niepce et Daguerre s'apprécièrent apparemment dès leur première rencontre. Pendant les deux années qui suivirent, ils échangèrent une correspondance consacrée à leurs travaux et se rencontrèrent de temps en temps, pour discuter des progrès réalisés par l'un ou par l'autre. (Niepce, qui demeurait toujours sur ses gardes, ne révéla que quelques détails au sujet de ses méthodes). En 1829, Niepce proposa à Daguerre de devenir son associé pour « un travail en commun afin d'améliorer mon procédé d'héliographie et ses diverses applications, moyennant une participation aux bénéfices que ses améliorations nous permettront d'espérer. »

Daguerre s'empressa d'accepter et rendit visite à Niepce à Chalon pour apprendre l'héliographie et mettre au point leur projet d'association. Il rentra ensuite à Paris et les deux associés ne devaient plus jamais se revoir. Pendant les quatre années qui suivirent, ils travaillèrent séparément, se maintenant au courant de leurs progrès par lettres. Durant cette période, leurs recherches portèrent principalement sur les possibilités de l'iode, cet élément non métallique de couleur rougeâtre qui, découvert en 1811, donnait avec l'argent un composé chimique très sensible à la lumière. Niepce ne vécut pas assez vieux pour voir le succès de leur entreprise; il mourut d'une attaque en 1833, laissant à son associé le soin de poursuivre seul leurs travaux.

Le 7 janvier 1839, satisfait de son nouveau procédé photographique, Daguerre prit ses dispositions pour présenter sa découverte à l'Académie des Sciences. Connaissant les lacunes de sa culture scientifique et peu désireux d'affronter les questions des académiciens, il s'entendit avec un savant de ses amis pour qu'il se chargeât à sa place de la communication. Ce fut un triomphe; les photographies, baptisées « daguerréotypes » par l'inventeur, furent examinées avec étonnement et soulevèrent une admiration enthousiasmée.

Rendant compte de ces images, le prestigieux *Journal of the Franklin Institute* de Philadelphie mentionnait que les académiciens « avaient été particulièrement frappés par la merveilleuse minutie des détails... Sur l'une d'entre elles représentant le pont Marie, les moindres détails, les divisions des bâtiments ou du sol, les marchandises étalées sur le quai et jusqu'aux plus petites pierres situées sous la surface de l'eau apparaissaient avec une précision incroyable. A la loupe, on pouvait même discerner une foule d'autres détails, invisibles à l'œil nu. »

Après avoir révélé l'existence de son procédé, Daguerre s'abstint pendant plusieurs mois d'apporter des renseignements complémentaires, et certains en profitèrent pour considérer que ces images relevaient de la supercherie. Le *Leipziger Stadtanzeiger,* une publication allemande, estima que les déclarations de Daguerre offensaient la science allemande et Dieu parce que : « Le désir de fixer des images évanescentes relève de l'impossibilité, comme de très sérieuses investigations allemandes l'ont montré, et que le simple fait de souhaiter cette impossibilité, de chercher à la réaliser, est en soi un blasphème. Dieu a créé l'homme à Son image et aucune machine sortie des mains de l'homme ne saurait fixer l'image de Dieu. » Le *Stadtanzeiger* soutenait que des hommes aussi sages qu'Archimède et Moïse n'avaient nulle connaissance de l'existence de représentations permanentes d'images reflétées, et on était en droit de traiter carrément de fou des fous le Français qui prétendait avoir réalisé cette chose inouïe. »

Cette tempête dans un verre d'eau s'apaisa en août 1839 lorsque le processus de l'invention se trouva révélé. Daguerre avait perfectionné une méthode photographique très élaborée. Comme agent sensible à la lumière, il utilisait l'iodure d'argent, semblable au produit employé par Schulze et Wedgwood mais plus efficace ; de plus, il avait résolu le problème vieux de plusieurs siècles qui consistait à trouver le moyen de « fixer » une image. Par quels cheminements ? Nous manquons de précisions sur ce point. Toujours est-il que Daguerre fixa ses premiers daguerréotypes avec une solution de sel marin mais employa plus tard une solution d'hyposulfite de soude, procédé que le savant anglais avait indiqué à Talbot, en 1839.

Le procédé de Daguerre n'avait rien à voir avec le principe mis en jeu par la photographie moderne. Le daguerréotype s'obtenait sur une plaque de cuivre revêtue d'une couche d'argent parfaitement polie *(pages 60-61)*. On rendait sensible cette couche d'argent en disposant la plaque sens dessus dessous au-dessus d'une boîte contenant des cristaux d'iode. Les vapeurs dégagées par l'iode réagissaient au contact de l'argent pour donner de l'iodure d'argent, un composé chimique très sensible à la lumière. Au cours de l'exposition de la plaque à l'intérieur de l'appareil photographique, la lumière entraînait l'enregistrement sur la plaque d'une image latente de l'objet, c'est-à-dire d'une image invisible à ce stade ; le processus avait entraîné une modification chimique, sans laisser de trace visible de l'opération.

Pour développer l'image, on disposait alors la plaque, la face argentée en dessous, dans un autre boîte qui contenait une petite cuve de mercure soumise à un chauffage. Les vapeurs de mercure réagissaient sur l'iodure d'argent de la plaque, préalablement exposé. Partout où la lumière avait atteint la plaque, le mercure s'alliait à l'argent sous forme d'amalgame. Cet amalgame formait un dépôt blanchâtre et constituait de la sorte les régions les plus éclairées de l'image. Sur les parties de la plaque qui avaient été protégées de la lumière, il n'y avait pas formation de cet amalgame. L'iodure d'argent, qui n'avait subi aucune transformation, se dissolvait dans le bain fixateur d'hyposulfite de soude et dans ces régions la plaque de cuivre argenté se trouvait mise à nu ; elles paraissaient noires et formaient les zones sombres de l'image.

La précision des détails et la gamme des tons intermédiaires des daguerréotypes continuent aujourd'hui encore à susciter l'admiration des connaisseurs sur le plan de la photographie. Toute personne qui a examiné de près une de ces nombreuses petites images de velours, mises en montre lors des expositions de collections historiques, ne peut s'empêcher de s'émerveiller de la précision des détails, de l'apparence si vivante, de la répartition si délicate des ombres ; la luminosité de ces petites photos est remarquable. Elles paraissent comme une sorte de bas-relief aux formes engendrées par l'action du mercure. La quantité d'argent amalgamé en chaque point de l'image est directement fonction de la quantité de lumière qui a frappé ce point de la plaque ; de plus, la création très progressive de l'amalgame engendre cette gamme apparemment infinie de gris. L'amalgame mercure-argent est blanc opaque dans les plages des hautes lumières qu'il restitue brillamment. Par ailleurs, le noir profond d'une grande richesse que l'on voit dans les régions sombres correspond tout simplement à la zone de la plaque recouverte d'argent poli qui, examinée sous l'angle approprié, ne reflète pratiquement aucune lumière.

Le gouvernement français s'aperçut rapidement de la valeur du procédé et, sept mois à peine après que Daguerre eut fait faire sa communication à l'Académie des Sciences, une pension à vie lui fut allouée ainsi qu'à Isidore Niepce. Le daguerréotype ne tarda guère à jouer un rôle officiel dans les cérémonies historiques. « Lors de l'inauguration, à Courtrai, en Belgique, d'une voie ferrée », le *Mining Journal* anglais signale, en 1840, que « ... la chambre noire doit être placée sur une hauteur dominant le pavillon royal, la locomotive, les wagons et la partie principale du cortège ; elle sera actionnée au moment exact où le discours inaugural sera prononcé. Un coup de canon marquera le début de l'opération de façon que tout le monde s'immobilise et que rien ne bouge durant les sept minutes du temps nécessaire à l'obtention d'une bonne image de toutes les personnalités présentes. »

Cependant, le nouveau procédé soulevait une critique. Tout en vantant cette invention « bien proche du miracle », une publication britannique, *The Penny Cyclopedia,* estimait que la surface très polie du daguerréotype engendrait un éclat « offensant la vue » et s'en plaignait. Le journal reprochait aussi à la plaque sa curieuse tendance à ne présenter l'image qu'en négatif, à moins que celle-ci ne fût vue sous un certain angle. Ceci impliquait l'impossibilité d'encadrer les images et de les suspendre car, « pour les regarder, il fallait les décrocher. »

Néanmoins, du point de vue technologique, le daguerréotype présentait d'autres inconvénients majeurs, qui faisaient de cette invention, en dépit de ses superbes qualités, une réussite sans avenir. La plaque requérait un polissage très soigné ainsi qu'une sensibilisation et un développement également minutieux; l'image était extrêmement fragile et réclamait de grandes précautions contre tout frottement. Mais, le plus sérieux des inconvénients résidait, en fait, dans l'unicité de la plaque ; il n'y avait aucune possibilité d'obtenir des copies, sauf en rephotographiant l'original.

Bien qu'on continua à produire des daguerréotypes pendant encore une décennie, en réalité, le procédé photographique se trouvait déjà largement dépassé lors de son lancement. L'heure de la véritable photographie avait sonné et un gentilhomme anglais avait déjà inventé le processus moderne à partir duquel cet art connaîtra un foudroyant développement. Le 25 janvier 1839, à peine trois semaines après que Daguerre eut transmis sa communication à l'Académie des Sciences, William Henry Fox Talbot parut devant l'Académie royale de Grande-Bretagne pour présenter son système négatif-positif. Ce fut non sans un sentiment de déception que l'Anglais délivra une communication dont il avait dû préparer le texte en toute hâte. Talbot admit par la suite que le rapport de Daguerre « a frustré les espoirs qui m'ont soutenu pendant plus de cinq ans au cours desquels j'ai poursuivi cette série d'expériences longues et compliquées — les espoirs en fait d'être le premier à annoncer au monde l'existence de ce nouvel art — au sujet de ce qui a depuis reçu le nom de photographie. » Bien que ne pouvant plus être considéré comme le premier, Talbot était décidé à faire savoir aussi vite que possible que son procédé différait totalement de celui de Daguerre.

Talbot était un représentant typique de cette catégorie de scientifiques amateurs qui apportèrent de l'éclat à la noblesse du début du XIXe siècle. Né en 1800, dans la partie sud de l'Angleterre, issu d'une famille noble — sa mère était la fille d'un comte, son père était officier du corps des Dragons —, Talbot bénéficia d'une excellente éducation, d'abord à Harrow, puis au Trinity College; sa contribution dans le domaine des mathématiques lui valut d'être élu Membre de l'Académie royale et il fut membre du Parlement pendant un court moment. Prendre des croquis était une de ses marottes et il se servait parfois d'une chambre noire ; en 1833, il note : « Il m'est venu à l'esprit qu'il serait charmant de trouver un moyen, en admettant que ce fût possible, d'imprimer ces images naturelles sur du papier et de les fixer d'une façon durable. » Il ne tarda pas à passer au stade de l'expérimentation.

Talbot obtint, dès 1835, des images négatives sur un papier préparé au chlorure et au nitrate d'argent et les vues qu'il réalisait avec ses meilleures préparations exigeaient que son sujet posât pendant environ dix minutes. Déçu d'abord par l'aspect négatif de ses images, comme l'avait été Niepce, il interrompit ses expériences et, reprenant les choses où les avait laissées Wedgwood, se contenta de faire des « dessins photogéniques », photogrammes de dentelles ou de feuilles, qu'il fixait avec une solution d'iodure de potassium ou de sel de cuisine. De ces « dessins », il tira sur papier, par exposition à la lumière solaire, des épreuves positives, processus analogue à celui employé aujourd'hui pour le tirage par contact. La lumière passait à travers l'image blanche de la feuille et créait par conséquent une image sombre sur la deuxième feuille ; en revanche, les zones sombres du négatif arrêtaient la lumière et il en résultait des régions claires sur le positif.

On obtenait en définitive un positif ressemblant au sujet, c'est-à-dire une feuille sombre se détachant sur un fond clair. Ce processus constituait la base du système négatif-positif de la photographie moderne. L'étape la plus importante fut franchie en réalité le jour où Talbot appliqua son système à une image qu'il avait enregistrée à l'aide d'une chambre noire. Après avoir fixé un paysage sur un négatif, il en tira un positif et obtint une image parfaitement reconnaissable du paysage en question.

La couche sensible utilisée dans ces premières expériences permettait de suivre la formation de l'image durant toute l'exposition. S'il cherchait à obtenir un photogramme par contact, Talbot se contentait simplement de regarder le papier disposé sous la vitre ; dans le cas où il utilisait une chambre noire, il surveillait la formation de l'image, grâce à un trou aménagé dans la paroi latérale de la chambre. Lorsque l'image négative se trouvait suffisamment formée, il arrêtait l'exposition. Cependant, en juin 1840, environ dix-huit mois après sa communication à l'Académie royale, Talbot annonça un progrès révolutionnaire dans ses recherches : la mise au point d'un support hautement sensible, permettant d'enregistrer sur du papier une image latente. Après exposition, cette nouvelle couche ne portait aucune trace visible, déclara-t-il, mais « il avait trouvé que l'image bien qu'invisible se trouvait bien enregistrée et que grâce à un traitement chimique... on pouvait la faire apparaître dans toute sa perfection. » Talbot donna le nom de « calotype » à ce processus, associant les deux mots grecs *kalos* et *typos* signifiant beauté et impression. (C'est l'ami de Talbot, sir John Herschel, qui par la suite forgea le nom sous lequel ce procédé est aujourd'hui connu, le mot photographie, du grec *photos* signifiant lumière, et *graphein*, ou écrire. Il fut également le premier à employer les expressions de « positif » et de « négatif » pour décrire le système de Talbot).

Au cours des années qui suivirent, Talbot apporta diverses améliorations au calotype ; accroissant la rapidité de la couche sensible, il réussit à diminuer d'une façon notable le temps de pose, ce qui lui permit de photographier des personnes avec succès. Cependant, l'emploi du papier négatif présentait un inconvénient qu'il ne parvint jamais à éliminer complètement. Pendant le tirage, partie de la lumière se trouvait diffusée par les fibres du papier et il en résultait un certain flou dans la photographie. Lorsque l'inventeur entreprit d'encaustiquer son négatif pour le rendre plus translucide, il réussit pratiquement à supprimer cet inconvénient ; toutefois, la définition de l'image du calotype ne parvint jamais à égaler celle du daguerréotype.

En octobre 1847, les problèmes que soulevait l'emploi du papier négatif ne relevèrent plus que de la discussion de pure forme ; Abel Niepce de Saint-Victor, un officier cousin de Nicéphore Niepce, venait de faire devant l'Académie des Sciences une communication relative à son nouveau procédé, l'emploi de plaques de verre couvertes d'une émulsion composée d'un mélange d'albumine et d'iodure de potassium, qui était sensibilisée, en un deuxième temps, par trempage dans une solution de nitrate d'argent et d'acide acétique. L'avantage du verre sur le papier en tant que support avait été décelé depuis quelque temps par d'autres chercheurs ; le verre ne présentait pas de problème de texture et, chimiquement inerte, ce corps était uniformément transparent. Cependant, jusqu'au jour où Niepce de Saint-Victor avait songé à employer du blanc d'œuf, personne n'avait trouvé le moyen de faire tenir sur le verre une émulsion comportant un matériau sensible à la lumière ; un grand nombre de substances collantes, y compris la bave d'escargot, avaient pourtant été essayées.

Pour préparer son émulsion, Niepce de Saint-Victor se mua en chimiste mais aussi en cuisinier. A son blanc d'œuf, il ajouta un peu d'iodure de potassium, fouettant le mélange jusqu'à obtenir une mousse ferme. Il en enduisit la plaque de verre, la laissa sécher puis, pour la rendre sensible à la lumière, la trempa dans un bain de nitrate d'argent acidifié.

Le nouveau procédé n'enthousiasma pas les photographes. Certes, grâce à la pureté du support, on obtenait des images d'une grande finesse de détail, mais les premières plaques en verre garni de blanc d'œuf se montraient fragiles et l'impression n'était pas plus rapide que dans le calotype ; le verre était lourd, cassant et de surcroît la qualité de l'image dépendait de la fraîcheur du blanc d'œuf. Quoiqu'il en soit, la possibilité de l'emploi du verre comme support venait d'être démontrée et ce fait allait se révéler extrêmement important pour les progrès futurs de la photographie. Avec l'invention, quelques années plus tard, d'une émulsion d'une bien plus grande qualité, les photographes allaient apprendre à s'accommoder des inconvénients de la plaque en verre.

Rien n'était sans doute plus loin de son esprit que la photographie le jour où, en 1846, le chimiste français Louis Ménard s'aperçut qu'il pouvait dissoudre le coton-poudre, la nitrocellulose, dans un mélange d'alcool et d'éther et qu'il obtenait un liquide très visqueux qui, une fois sec, formait une pellicule dure et transparente. Il donna le nom de « collodion » à cette substance, sans lui trouver d'emploi, mais les médecins ne tardèrent guère à l'utiliser comme pansement dans le cas de blessures légères. Employé sous forme liquide, le collodion formait en séchant un enveloppement imperméable qui protégeait la région blessée et la maintenait propre. L'emploi du collodion comme émulsion photographique fut suggéré pour la première fois en 1850 par le chimiste anglais Robert Bingham.

Pour en enduire une plaque, il fallait avoir les doigts agiles, le poignet souple ; l'opération exigeait de la minutie. Le photographe, après avoir versé du collodion au centre de sa plaque, tenait celle-ci du bout des doigts sans mordre sur sa surface, puis il l'inclinait d'avant en arrière, de droite et de gauche, jusqu'à ce qu'elle fût recouverte d'une couche uniforme. Le collodion en excès était reversé dans son récipient. Après avoir été rendue sensible grâce à du nitrate d'argent, la plaque encore humide était exposée; on procédait immédiatement au développement, car, comme l'avait découvert Bingham, en séchant le collodion devenait moins sensible. Le procédé fut connu sous le nom de « photographie sur plaque au collodion humide. »

Lorsque, en 1851, on imagina de développer ces plaques au collodion humide dans de l'acide pyrogallique (pyrogallol, ou pyro), l'exposition put être réduite à cinq secondes. Cette brièveté du temps de pose permettant de réaliser des photographies jusqu'alors impossibles, les photographes supportèrent le fastidieux travail que constituait la préparation des plaques et s'accommodèrent de la nécessité de procéder au développement avant que l'émulsion ne fût sèche. C'est en utilisant ces encombrantes plaques que Mathew Brady et ses coéquipiers réalisèrent les reportages documentaires sur la guerre de Sécession *(pages 96-103)* et que William Henry Jackson photographia la partie occidentale des États-Unis *(pages 86-89).*

En grand nombre, tant les professionnels que les amateurs éclairés s'activèrent à améliorer le procédé. Certaines des suggestions, qui apparaissaient dans les publications consacrées à la photographie, ont sans doute surpris les lecteurs, même les moins orthodoxes. Vers 1855, le *Journal of the Photographic Society* publié à Londres recommande de tremper les plaques sensibles dans du miel. Grâce à ce traitement, expliquait le *Journal,* la plaque sensible pouvait être conservée quatre semaines avant l'exposition et douze heures entre l'exposition et le développement. Le *Photographic News,* une autre publication anglaise, préconisait l'emploi du sirop de framboise dans le même dessein. Rien ne prouve qu'un groupe quelconque de photographes ait suivi ces conseils; ils n'en étaient pas moins valables jusqu'à un certain point. Les substances sucrées — le miel, le sirop — absorbaient l'humidité atmosphérique et contribuaient à maintenir l'humidité et la sensibilité de la plaque.

Le rôle de l'humidité dans le maintien de la sensibilité décrut toutefois à mesure que, grâce à des progrès graduels dans la formulation des composés chimiques de l'argent, on parvenait à fabriquer des émulsions de plus en plus sensibles. Entre 1880 et 1890, deux novations différentes, quoique en relation l'une avec l'autre, permirent d'obtenir non seulement une plaque sèche mais d'éliminer en tant que support le verre, ce matériau encombrant et fragile. Le premier de ces progrès consistait en l'emploi d'une émulsion à base de gélatine, cette substance que l'on tire des os ou du cuir des bovins. (En fait, Bingham avait déjà décrit ce processus en 1850.) Avec ce produit, on pouvait composer une émulsion qui conservait sa sensibilité une fois séchée et, point sans doute plus important, il pouvait être appliqué sur un support flexible — des bobines de pellicule —, ce qui éliminait le verre. Si les plaques en verre servant de support à une émulsion de gélatino-bromure d'argent ont encore été employées par les photographes pendant des décennies et le sont même aujourd'hui dans certains cas par les astronomes, la pellicule en bobine, quant à elle, révolutionna la photographie: elle devenait suffisamment simple pour que des millions d'adeptes pussent en savourer les joies.

C'est à George Eastman que la photographie dans une large mesure doit d'avoir été mise à la portée de tous; esprit plein d'imagination et de dynamisme, il contribua à ses progrès en réalisant personnellement plusieurs améliorations fondamentales. De plus, il finança des recherches poursuivies par d'autres chercheurs et il exploita au moins une découverte capitale, réalisée par quelqu'un d'autre. Représentant typique de cette tradition américaine du gueux qui devient millionnaire, Eastman débuta comme simple employé de banque sans le sou à Rochester, dans l'État de New York, et réussit à monter une des entreprises de pointe des États-Unis. Il devint donc milliardaire en dollars, et distribua 100 millions de dollars à des institutions s'occupant d'art et d'éducation. Cependant, il ne joua jamais les magnats classiques; il ne se maria pas et, dans la plupart des cas, ses dons demeurèrent anonymes. (Pendant des années, les millions de dollars qu'il fit parvenir au Massachusetts Institute of Technology furent attribués à la générosité d'un mystérieux « M. X »). Au terme d'une longue maladie, il se tua d'un coup de feu à l'âge de soixante dix-huit ans.

Dès le jour où il acheta son premier appareil photographique ou presque, c'est-à-dire en 1877, Eastman conçut un certain mépris pour la vieille plaque humide. « J'ai acheté un équipement, note-t-il, et j'ai appris que, pour pratiquer la photographie en extérieur, il fallait être non seulement robuste mais intrépide. » Il se jeta donc rapidement sur toutes les publications traitant de la photographie qu'il put trouver et il les parcourut à la recherche d'un moyen pratique de prendre des images sans transporter un matériel si encombrant. « Il semble, ajoute-t-il, qu'on doit trouver un moyen pour ne pas emporter avec soi le chargement d'un cheval. » Dans une publication anglaise, il découvrit un article sur une émulsion à base de gélatine à employer une fois séchée. Et il ajoute « voilà qui m'a mis sur la bonne voie. »

Bien que ne connaissant rien à la chimie — il avait quitté l'école à quatorze ans pour aider sa mère devenue veuve —, il commença une série d'expériences sur une émulsion à base de gélatine de sa fabrication. « Mes premiers essais ne furent guère encourageants, note-t-il, mais en fin de compte je suis tombé sur un revêtement de gélatine et de bromure d'argent, qui a les qualités photographiques nécessaires... Initialement, j'ai cherché à rendre la photographie plus simple uniquement pour des raisons de convenance personnelle, toutefois, j'ai rapidement songé aux avantages commerciaux. » Travaillant la nuit et parfois ne dormant guère, il œuvra à la mise au point d'une machine permettant la production massive de plaques sèches.

Dès 1880, il avait loué des locaux à Rochester, formé trois assistants et il vendait sa production à divers magasins de matériel photographique. Il ne quitta son travail à la banque qu'en 1881 et il s'associa alors avec Henry Strong, un des locataires de sa mère qui tenait une sorte de pension de famille. Ainsi fut fondée la Eastman Dry Plate Company. Chacun mit 1 000 dollars dans l'affaire, mais Eastman savait que la photographie ne deviendrait jamais populaire tant qu'elle utiliserait ces insolites plaques de verre pour prendre des images. De quoi avait-on besoin? De quelque chose de léger, de bon marché, de suffisamment souple pour être porté par un rouleau, bref, de la pellicule! Son but devint évident dès 1884, date à laquelle l'association se mua en société sous le nom de The Eastman Dry Plate and Film Company.

La bobine de pellicule n'était nullement une invention nouvelle et, en fait, depuis l'époque de Daguerre ou presque, bon nombre de personnes s'étaient attaquées avec plus ou moins de succès à la fabrication de ce matériau. Aucun résultat commercial valable n'allait être obtenu avant qu'Eastman ne parvienne à mettre au point l'équipement nécessaire à la production massive et rentable de la pellicule. Il sortit le « film américain » Eastman (Eatsman's American Stripping Film) qui était constitué par une bobine de papier portant une fine émulsion à base de gélatine. Après développement de la pellicule, il fallait débarrasser l'émulsion du papier opaque servant de fond et l'on obtenait ainsi un négatif translucide permettant de tirer une épreuve. Cette opération présentait parfois des difficultés pour le photographe — retiré du papier, le négatif subissait souvent des allongements — et la pellicule était habituellement renvoyée à la compagnie pour traitement.

La nouvelle pellicule troubla certes le monde des photographes, mais l'invention n'avait pas de signification directe pour le grand public car, pour prendre des photographies, la chambre et son pied, lourds et onéreux, demeuraient indispensables. L'apparition de la bobine de pellicule permettait d'envisager la construction d'un appareil photographique léger, peu coûteux et de maniement simple. Tout un chacun devenait un photographe en puissance. En juin 1888, Eastman lança le Kodak n° 1. Une fois chargé, l'appareil permettait de prendre 100 photos. La bobine achevée, l'utilisateur renvoyait l'appareil encore chargé à l'Eastman Company à Rochester. Rapidement, celle-ci réexpédiait au propriétaire les photos après tirage, ainsi que l'appareil rechargé d'une pellicule neuve. Du jour au lendemain, la nouvelle bobine de pellicule Kodak fit sensation dans le monde entier.

Au milieu des bouleversements qu'entraînait l'apparition du « film américain » et du Kodak, rares furent ceux qui prêtèrent attention au brevet déposé en mai 1887 par Hannibal Goodwin, un pasteur de New Jersey. Cependant, l'invention de la véritable bobine de pellicule moderne revient sans conteste à Goodwin ; il s'agissait d'un plastique souple, revêtu d'une fine émulsion, transparent et suffisamment robuste pour n'avoir pas besoin d'un support en papier (principe adopté pour la plupart des pellicules modernes).

Goodwin était parti de la substance même qui avait servi de base à l'émulsion de la plaque humide, à savoir du collodion. Additionné de camphre, le collodion se muait en celluloïd, ce produit à tout faire susceptible d'être roulé, moulé ou tréfilé en formes très diverses ; on s'en servait pour fabriquer des manches de brosses ou de peignes, ainsi que les cols durs que portaient les messieurs de bon ton. Toutefois, le celluloïd de production courante présentait de graves inconvénients dans l'optique de ce que Goodwin souhaitait réaliser ; sa transparence n'était pas uniforme et rapidement il devenait cassant. Goodwin en modifia la nature grâce à l'emploi de solvants et, en fin de compte, il parvint à produire ce support « avec une épaisseur d'environ 0,05 mm ». Initialement, la pellicule avait tendance à se gondoler parce qu'elle n'était enduite que sur une face. Goodwin remédia à ce défaut en revêtant l'autre face d'une couche de gélatine insensible à la lumière.

Cependant, le brevet de Goodwin ne fut définitivement accepté qu'en septembre 1898, soit plus de onze ans après que l'inventeur en eut fait le dépôt. La raison de ce retard était d'ordre financier ; comme tous les pasteurs, Goodwin était pauvre et il ne pouvait subvenir aux frais qu'entraînaient les expériences demandées par l'Office des Brevets. Entre-temps, la Eastman Company avait déposé en avril 1889 une demande de brevet relatif à une pellicule similaire et le brevet avait été accordé en décembre de la même année. Le lancement commercial de la pellicule était déjà en cours depuis quatre mois à cette date.

Vers 1900, soit deux ans après que sa pellicule eut été brevetée, Goodwin réussit à rassembler suffisamment d'argent pour commencer à la produire. Cependant, l'inventeur mourut avant que la société qu'il avait mise sur pied, la Goodwin Film and Camera Company, eût vraiment commencé à fonctionner ; peu après, la Goodwin Company attaqua en justice la Eastman Company, accusant cette dernière d'avoir abandonné la formule de son propre brevet et d'utiliser celle de Goodwin. Le procès traîna douze ans jusqu'à ce que la Chambre d'Appel de la Cour de Circuit prononçât son arrêt; elle décida que la demande de brevet déposée par Goodwin en 1887 avait « révélé pour la première fois les éléments fondamentaux et essentiels d'une véritable pellicule enroulable. » Entre-temps, la propriété du brevet avait changé de mains à plusieurs reprises et les 5 millions de dollars alloués par la cour allèrent au propriétaire en titre, la Ansco Film Company.

Les cercles de la haute finance s'intéressèrent peut-être à cette décision judiciaire, mais elle n'avait guère de signification pour l'homme de la rue. Pour lui, la nouvelle ère de la photographie avait pour point de départ la création de l'appareil photographique léger et de la pellicule montée sur rouleau. Il était tout occupé à prendre des photos et se souciait fort peu des questions de mérite en l'occurrence. □

Les premiers procédés photographiques : de la gaucherie à la beauté

Du point de vue de la beauté de l'image — de la netteté du détail et de l'échelle des teintes —, la photographie en noir et blanc naquit dans toute sa splendeur le jour où, au début de 1839, Louis Daguerre annonça le premier procédé d'un emploi pratique. « Un bon daguerréotype », déclare Edward Steichen, un des grands chefs de file de la photographie de l'époque moderne, « constituait un genre de photographie que l'on a jamais surpassé. » Des daguerréotypes comme le portrait du président John Quincy Adams *(page ci-contre)* représentaient un triomphe technologique de premier ordre ; l'apparition du premier phonographe aurait constitué un progrès similaire si, dès son invention, cet appareil avait été capable de reproduire les sons aussi fidèlement que les « équipements haute-fidélité » les plus modernes.

Les autres procédés photographiques inventés après le daguerréotype furent également remarquables par certains aspects. Le calotype — la première photographie tirée à partir d'un négatif — avait son cachet particulier, une douce et riche chaleur due partiellement à la présence de fibres dans le papier du négatif. Un troisième procédé, la plaque de verre au collodion humide, permettait d'obtenir des effets très variés ; la netteté de l'image était comparable à celle du daguerréotype, les tons de gris se révélaient particulièrement doux et la définition de l'image pratiquement sans défaut.

L'intérêt croissant suscité par l'histoire de la photographie et la diversité des procédés photographiques des premiers temps ont incité nombre de photographes à les expérimenter, en dépit des difficultés techniques qu'ils offrent. Joel Snyder, un photographe de Chicago, est de ceux qui, à la recherche de résultats impossibles à obtenir avec des pellicules modernes, se sont tournés vers ces procédés d'autrefois, à demi oubliés. En l'espace de cinq ans, il a expérimenté 15 de ces procédés ; il a ainsi exploité la douceur flatteuse du calotype dans des portraits et l'apparence si nette bien qu'un peu vieillotte de la plaque au collodion humide pour exécuter des photos publicitaires. (Cherchant à vanter un assaisonnement de gourmets, il réalisa de la sorte une nature morte, composée d'aliments, captant ainsi la nostalgique apparence du « poulet tel que le préparaient nos arrière-grand-mères »).

Snyder, qui nous décrit sur les pages suivantes les trois procédés en usage au XIXe siècle, juge fascinantes ces techniques, mais estime que leur emploi est épuisant ; dans le cas de la plaque au collodion humide et du daguerréotype tout au moins, il pense que les produits mis en jeu rendent ces techniques dangereuses. Dans un des vieux traités dont il a suivi les conseils, l'auteur préconise certaines précautions : « Aérez votre mercure ; ses vapeurs sont chargées de rhumatismes, de sciatiques, de maux de dents, de névralgies et de décrépitude. » En fait, à la longue, l'emploi du mercure peut entraîner des maladies bien plus graves — paralysie partielle — mais ses effets temporaires sont déjà très désagréables, comme Snyder l'apprit à ses dépens. Après s'être penché sur du mercure chauffé, il eut à souffrir pendant plusieurs jours de violentes douleurs intercostales et de difficultés respiratoires. En travaillant sur des plaques au collodion humide, il lui est même arrivé de s'évanouir à cause des vapeurs d'éther et d'alcool dégagées par ce produit.

SOUTHWORTH & HAWES : *John Quincy Adams,* vers 1848

1 | L'art du daguerréotype

1 | nettoyage de la plaque

2 | polissage à l'aide d'un tissu très doux

5 | prise de l'image

3 | préparation des cristaux d'iode en vue de rendre la plaque sensible

4 | sensibilisation de la plaque

NOTE : Les matériaux employés dans ces procédés étant dangereux, il est conseillé aux lecteurs de ne pas essayer le procédé du daguerréotype décrit ci-après, pas plus que le procédé de la plaque au collodion humide (pages 72-73). Même l'utilisation du procédé calotype (pages 66-67) exige des précautions pour éviter les brûlures qu'entraîne l'emploi du nitrate d'argent.

Lorsque Joel Snyder entreprend un daguerréotype, il n'a garde d'oublier le conseil donné par l'inventeur du procédé : pour obtenir de bons résultats, il est nécessaire que la plaque de cuivre argenté soit parfaitement propre et très bien polie. Il imbibe un tampon de coton en le trempant dans une mixture d'alcool et de pierre ponce. Ce tampon lui permet de nettoyer la surface de la plaque (1). Grâce à un agnelin très fin, il la polit (2).

Snyder rend la plaque sensible ; pour cela, il dispose un bol de cristaux d'iode (3) au fond d'un cylindre hermétique à l'air. En ne s'éclairant qu'à la bougie —, Snyder suspend la plaque, côté argenté en dessous à l'intérieur du cylindre grâce aux deux fils de fer fixés à sa partie supérieure (4). Pendant 10 minutes, il laisse les vapeurs d'iode envelopper la plaque et se combiner au revêtement d'argent pour donner de l'iodure d'argent, sensible à la lumière. Pour accroître la sensibilité de la plaque, Snyder l'expose ensuite pendant deux minutes à des vapeurs de chaux bromée avant de la soumettre, pendant deux minutes, aux vapeurs d'iode. Opération finale, il dispose la plaque dans son appareil photographique et prend une photographie de son sujet (5), en l'occurrence sa femme.

L'exposition achevée, Snyder regagne la pièce éclairée seulement à la bougie et se prépare à procéder

6 | **préparation du mercure destiné au développement**

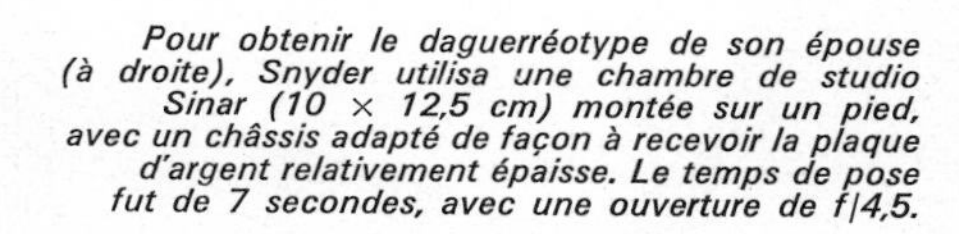

Pour obtenir le daguerréotype de son épouse (à droite), Snyder utilisa une chambre de studio Sinar (10 × 12,5 cm) montée sur un pied, avec un châssis adapté de façon à recevoir la plaque d'argent relativement épaisse. Le temps de pose fut de 7 secondes, avec une ouverture de f/4,5.

7 | **l'image lors du développement**

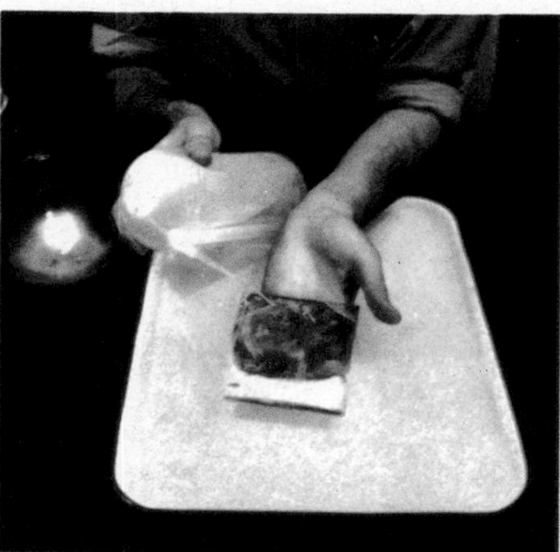

8 | **fixation de l'image**

9 | **Le daguerréotype après finition**

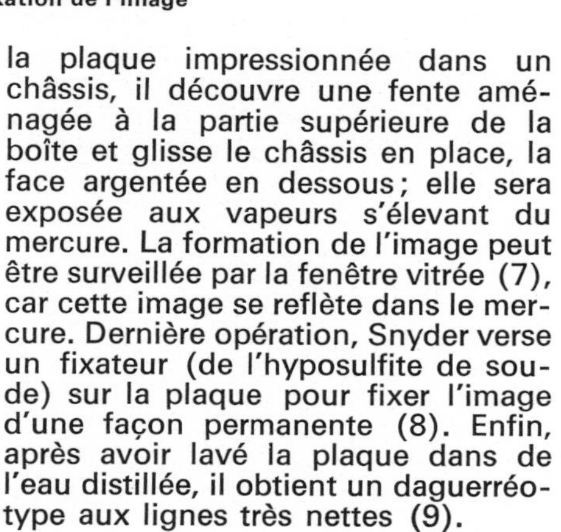

au développement. L'opération doit être effectuée à l'intérieur d'une boîte close, pour éviter la propagation des vapeurs de mercure. Dans l'illustration ci-dessus, la boîte a été ôtée pour permettre de détailler l'opération. Snyder commence par verser du mercure dans un récipient posé au-dessus d'un réchaud à alcool (6). Après avoir placé un thermomètre dans le mercure et allumé la lampe, il glisse l'ensemble à l'intérieur de la boîte et en abaisse le couvercle.

Surveillant le thermomètre, il attend que la température du mercure soit entre 60° C et 90° C puis, disposant la plaque impressionnée dans un châssis, il découvre une fente aménagée à la partie supérieure de la boîte et glisse le châssis en place, la face argentée en dessous; elle sera exposée aux vapeurs s'élevant du mercure. La formation de l'image peut être surveillée par la fenêtre vitrée (7), car cette image se reflète dans le mercure. Dernière opération, Snyder verse un fixateur (de l'hyposulfite de soude) sur la plaque pour fixer l'image d'une façon permanente (8). Enfin, après avoir lavé la plaque dans de l'eau distillée, il obtient un daguerréotype aux lignes très nettes (9).

Les divers aspects du daguerréotype

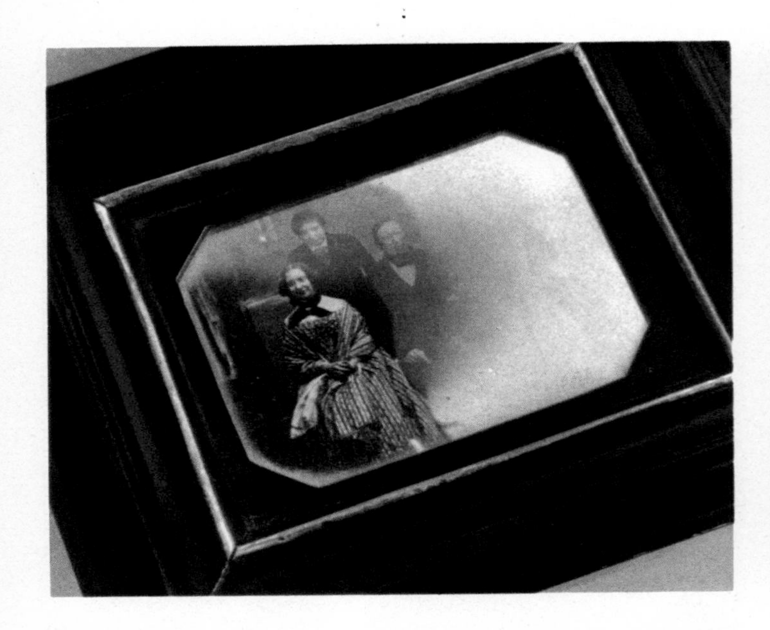

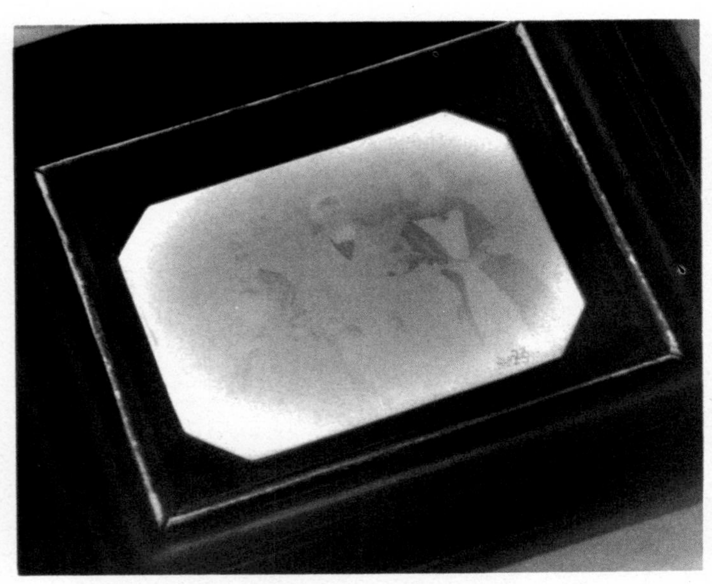

Quoique extrêmement fidèle, le daguerréotype présentait un défaut impossible à corriger. Selon l'angle sous lequel il se plaçait et selon la direction de la lumière éclairant le daguerréotype, l'observateur découvrait en fait l'image d'un positif, ou d'un négatif, voire un mélange des deux. A la différence d'un tableau, le daguerréotype ne pouvait donc être accroché au mur.

Si, par exemple, trois personnes présentes dans un salon contemplaient en même temps un daguerréotype suspendu au-dessus de la cheminée, il arrivait que la personne se trouvant à droite voyait le portrait comme il est présenté ci-dessus à gauche — moitié négatif, moitié positif —, que celle faisant directement face à la photographie le voyait comme présenté ci-dessus à droite, c'est-à-dire sous la forme d'un négatif, tandis que seule la personne assise à gauche voyait une image entièrement positive, comme celle de la page opposée.

La seule façon de contempler un daguerréotype consistait à le prendre dans les mains et à le déplacer légèrement jusqu'à ce qu'apparaisse l'image positive. Cet inconvénient semblait mineur aux milliers de personnes qui, vers 1840, envahissaient les studios récemment ouverts, afin de se faire faire un portrait rapidement et pour pas cher.

PHOTOGRAPHE INCONNU : *Portrait de famille,* vers 1850

Une claire image du monde grâce à des daguerréotypes

Diverses personnes, les gens d'un certain âge et d'un âge certain surtout, trouvèrent quelque peu cruels les détails que leur révélaient leurs daguerréotypes. Une moins grande fidélité eût sans doute été plus appréciée. Cette extrême fidélité du daguerréotype rendait ce procédé très précieux pour la reproduction des merveilles de la nature et des ouvrages sortis des mains de l'homme. La photographie était chargée d'une notion de réalité et de rapport entre les objets qu'aucun artiste n'aurait su traduire.

Peu après que les détails techniques du procédé de Daguerre eurent été connus, un peu partout de par le monde les photographes se mirent en devoir d'obtenir des images de pratiquement tous les sujets, depuis les pyramides en Égypte jusqu'à l'activité sur les quais de Cincinnati.

Cette photographie de Cincinnati — il s'agit en fait d'un montage associant soigneusement deux photos — offre un excellent exemple de la netteté de l'image du daguerréotype. Des inscriptions sur les bâtiments situés assez loin du bord de l'eau sont déchiffrables. Même aujourd'hui une telle netteté du détail ne pourrait être obtenue qu'en utilisant avec art et talent les meilleurs des équipements photographiques modernes.

PLATT D. BABBETT : *Un groupe aux chutes du Niagara,* vers 1855

Les chutes du Niagara constituaient déjà un lieu de tourisme très couru vers 1850, à l'époque où Platt Babbett réalisa un daguerréotype du paysage. En dépit du long temps de pose nécessaire, les touristes du premier plan et les eaux bouillonnantes du Niagara sont reproduits avec une remarquable précision. En 1848, lorsque William Southgate Porter et Charles Fontayne réalisèrent, grâce à des daguerréotypes, une vue des quais de l'Ohio à Cincinnati, ils utilisèrent huit plaques — deux d'entre elles sont présentées ci-dessous — pour couvrir l'ensemble des installations portuaires.

WILLIAM SOUTHGATE PORTER ET CHARLES FONTAYNE : *Les quais de Cincinnati,* 1848

2 | Calotype : des épreuves à partir d'un négatif sur papier

Non seulement le calotype est plus simple à réaliser que le daguerréotype, mais de plus son principe nous est familier. L'appareil donne un négatif que l'on tire d'une façon assez habituelle.

Joel Snyder commence par choisir soigneusement le papier de son négatif, un papier à calquer vélin, fabriqué uniquement à partir de chiffons ; aussi fin que possible, ce papier ne doit contenir ni impureté minérale, ni agent chimique de blanchiment. Il lave soigneusement le papier pour le débarrasser de tout apprêt (qui pourrait gêner l'absorption des produits chimiques) et le fait sécher ; travaillant à la bougie, il sensibilise le papier en le faisant flotter pendant trois minutes (sur une face seulement) dans une solution à 4 % de nitrate d'argent dans de l'eau distillée (1). Après séchage, il renouvelle l'opération, pendant une ou deux minutes, dans une solution d'iodure de potassium à 7 %. Ces deux composés chimiques réagissent pour donner une couche d'iodure d'argent. Il lave ensuite le papier dans de l'eau distillée (2) pour le débarrasser de tout dépôt en excès et il le fait sécher.

Travaillant toujours à la bougie, Snyder inspecte le papier à la recherche d'une quelconque imperfection (3). Toute bulle d'air, toute petite tache bleue, verte révélant la présence d'un dépôt minéral contenu dans le papier ou d'une souillure provenant de l'eau, l'entraîne à jeter le papier et à recommencer. S'il ne décèle aucune imperfection de ce genre, il brosse le papier avec une solution d'acide gallique, de nitrate d'argent et d'acide acétique, opération qui accroîtra la sensibilité (4). Le papier humide est alors prêt à être utilisé dans l'appareil photographique.

L'image prise (5), il développe le négatif en le brossant à nouveau avec la solution d'acide gallique, de nitrate d'argent et d'acide acétique (6).

1 | couchage du papier avec le nitrate d'argent

2 | lavage du papier

3 | inspection des éventuelles défectuosités du papier

4 | accroissement de la sensibilité

5 | avant la prise de vue

Ce développement prendra de 1 à 3 minutes et sa durée dépend du temps d'exposition. (Si l'exposition a été assez longue, l'image peut déjà être visible sur le négatif au moment où on le retire de l'appareil.) Le négatif est alors lavé, fixé puis séché selon le processus habituel. Pour accroître sa transparence avant le tirage et réduire la diffusion qu'engendreraient ses fibres, Snyder le place sur une surface légèrement chauffée — une plaque à pâtisserie, par exemple — et l'enduit de cire d'un côté (7). A présent, le négatif est placé dans un châssis normal de tirage (8), la partie vierge du papier est disposée côté verre. Un bon papier fort, préalablement sensibilisé au chlorure d'argent par flottage dans une solution de chlorure d'ammonium à 2,5 % et dans une solution de nitrate d'argent à 10 %, est posé, couche contre couche, sur le négatif. Au cours du tirage (9), qui prend une dizaine de minutes environ, la lumière filtre à travers la vitre et le négatif pour arriver jusqu'au papier de tirage. Cette exposition formant directement l'image, aucun développement n'est nécessaire, mais une précaution est indispensable : elle consiste à fixer l'épreuve et à la laver soigneusement. Celle-ci est alors prête (10).

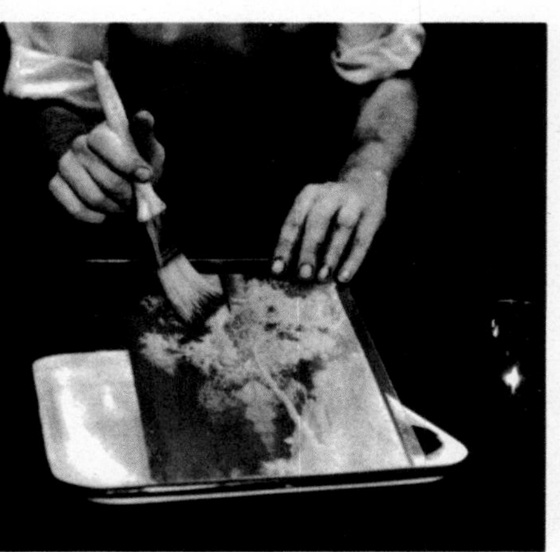

6 | développement du négatif

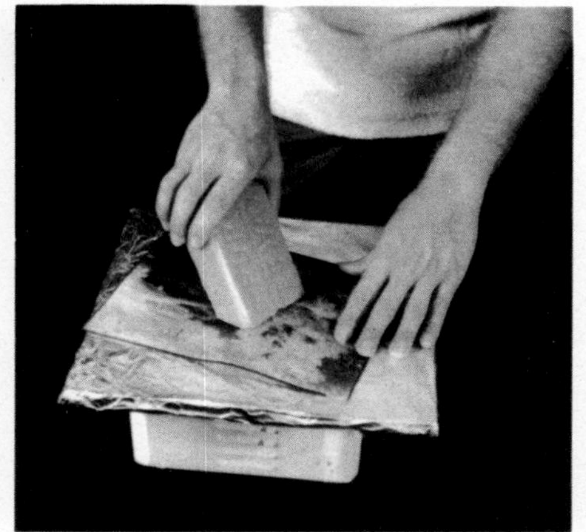

7 | encaustiquage du négatif

10 | le calotype définitif

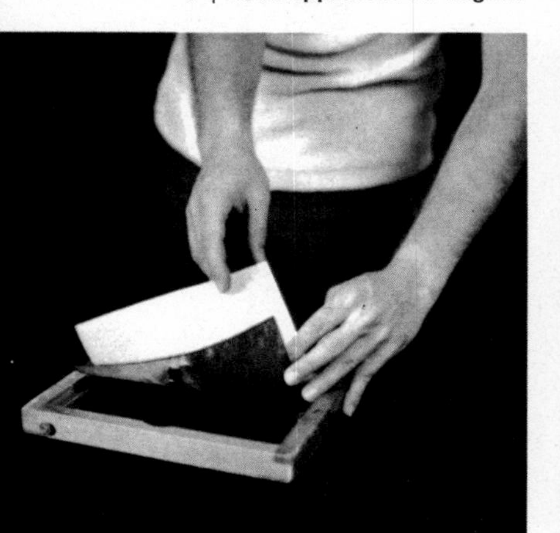

8 | mise en place du négatif dans un châssis-presse

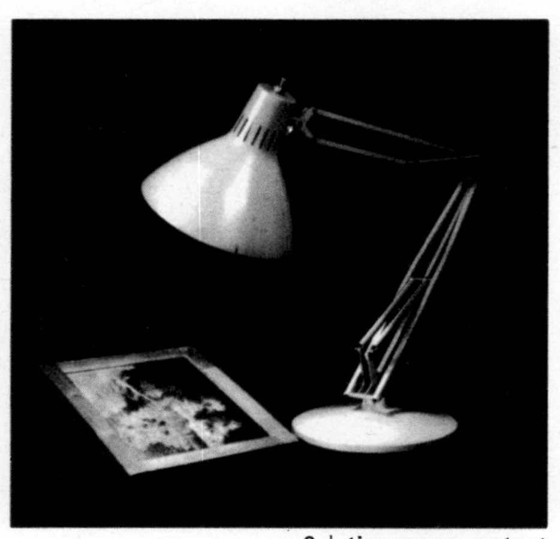

9 | tirage par contact

Pour réaliser un calotype de ce paysage boisé — au bord d'une crique du parc Jackson de Chicago — Snyder a utilisé une chambre Sinar, avec une ouverture de f/5,6 et un temps de pose de 2 secondes.

Le velouté des calotypes

En raison de la texture, tant du papier négatif que de celui du tirage définitif, le procédé du calotype fournit une image plus veloutée que le daguerréotype à la surface toujours lustrée et brillante. Les lignes perdent de leur acuité et les détails s'estompent.

Au XIXe siècle, la plupart des photographes préféraient certes le daguerréotype en raison de sa netteté, mais un bon nombre d'entre eux utilisèrent exclusivement le procédé du calotype. Comme le photographe inconnu qui, dans le portrait présenté sur ces pages (tant en négatif qu'en positif), est parvenu à capter un soupçon de sévérité, ces artistes réussirent, au détriment de la netteté et de la ressemblance, à s'appuyer sur la douceur et l'essence même du caractère de l'image.

La nature du calotype rappelle quelque peu le dessin au fusain et de nombreux photographes firent délibérément appel à ce procédé pour créer des scènes pittoresques, en particulier dans le cas de paysages, de natures mortes et de représentations de bâtiments. Il semble que l'inventeur de ce procédé, l'Anglais William Henry Fox Talbot, ait partagé leur optique ; un grand nombre de ses meilleures images ont trait à des sujets de ce genre.

PHOTOGRAPHE INCONNU : *Portrait d'une dame française,* vers 1840

Les calotypes personnels de l'inventeur

Pour William Henry Fox Talbot, ce gentilhomme campagnard qui inventa le calotype, l'image obtenue après tirage devait être particulièrement attrayante en raison de son allure d'esquisse. Son intérêt pour l'art et le fait de découvrir qu'il n'avait guère d'aptitude pour le dessin le conduisirent à inventer ce processus photographique. Il devint un photographe soigneux, sensible, doué d'un bon sens de la composition, et il réalisa des calotypes de très bon goût, comme ceux que nous présentons sur ces pages.

Bien que Talbot fût en fait l'inventeur du système photographique comportant un négatif et un positif, à la différence de Daguerre, il ne reçut jamais le tribut officiel dû à son mérite, pas plus que les récompenses financières, ceci bien qu'il n'eût été devancé par Daguerre que de quelques jours dans la déclaration officielle et publique de son processus d'enregistrement des images.

WILLIAM HENRY FOX TALBOT : *Les joueurs d'échecs*, vers 1842.

WILLIAM HENRY FOX TALBOT (ou un de ses associés) : *Les ruines de Pompeï,* vers 1840

Préparation d'une plaque au collodion humide

1 | nettoyage de la plaque

2 | remplissage du bain sensibilisateur

3 | apposition sur la plaque de la couche de collodion

4 | sensibilisation de la plaque

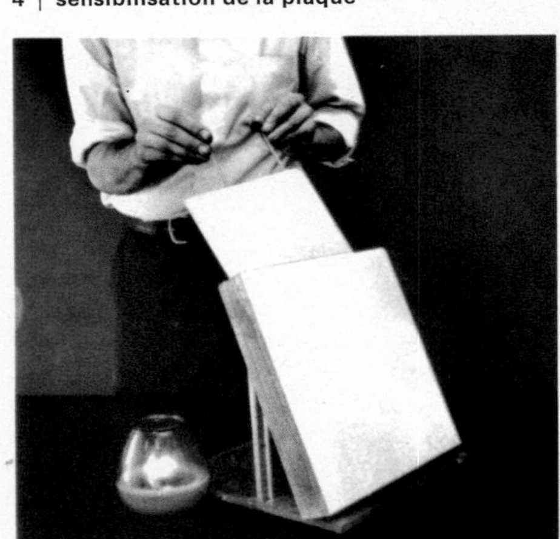

5 | vérification de la couche sensible

6 | préparatifs de la pose et de l'exposition

Décidé à utiliser le procédé de la plaque au collodion humide, Snyder commence par prendre un morceau de vitre ordinaire. Pour éviter de se couper, il borde la vitre d'une bande de papier émeri de 3 mm. Cette première opération permet une meilleure adhésion de la visqueuse émulsion appelée à recouvrir la plaque. Il lave ensuite le verre à l'aide d'un mélange de poudre de pierre ponce et d'alcool (1).

Le stade suivant consiste à préparer le bain sensibilisateur, une cuve rectangulaire en verre, qu'il remplit presque à ras bord d'une solution contenant 12 volumes d'eau pour un volume de nitrate d'argent (2). A présent, il verse sur la plaque du collodion contenant de l'iodure de potassium (3) et l'incline dans tous les sens jusqu'à obtenir une couche régulière.

S'éclairant uniquement à la bougie, il se sert de crochets pour immerger la plaque de verre dans le bain où elle séjournera entre 4 et 6 minutes (4). Lorsqu'il retire sa plaque du bain (5), Snyder l'examine pour voir si elle a reçu une couche convenable de sensibilisant. Sa couleur doit être d'un blanc crémeux; si elle est encore lustrée, un bain plus prolongé est nécessaire. La plaque une fois prête, Snyder la glisse dans un châssis, qu'il dispose dans l'appareil photographique. A présent, il est prêt à photographier son sujet (6).

Après avoir pris la photo, Snyder regagne sa chambre noire, avant que la plaque ne soit sèche. Il développe l'image à l'aide d'acide pyrogallique (7). Ensuite il lave la plaque, fixe l'image et la lave à nouveau. Une fois la plaque sèche, Snyder procède au tirage de l'image (8) sur un papier qu'il a sensibilisé lui-même au chlorure d'argent.

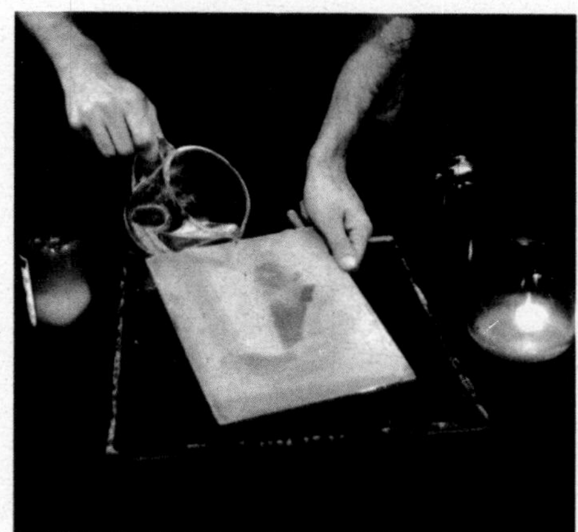

7 | développement de la plaque

Pour réaliser ce portrait (à droite) à l'aide d'une plaque au collodion humide, Snyder a demandé à un de ses amis, acteur et metteur en scène, de poser dans l'embrasure d'une fenêtre puis, réglant l'ouverture de son appareil à f/5,6, il adopte un temps de pose de 9 secondes.

8 | le portrait au stade définitif

La plaque au collodion humide : des portraits de luxe mais aussi des portraits économiques

C'est avec des plaques au collodion humide que certains des plus beaux portraits qu'ait connus l'histoire de la photographie ont été réalisés. En studio et manipulée par un photographe très expert, la plaque humide permettait de saisir les états d'âme, les jeux compliqués des ombres et des lumières, les textures et les moindres détails avec autant de fidélité que la meilleure des pellicules modernes. Entre les plus beaux portraits d'aujourd'hui et un certain nombre de photographies du XIXe siècle, comme celle de Sarah Bernhardt présentée à droite, la différence ne réside guère que dans le romantisme des poses et le charme des vêtements de l'époque.

Le fait que ce procédé comportât la création d'un négatif, et donc la possibilité d'effectuer un nombre illimité de tirages, constituait un grand avantage aux yeux des actrices, des politiciens et, en règle générale, des personnalités. Cet avantage n'intéressait guère toute une large couche de la population ; le client normal souhaitait seulement obtenir un tirage unique de lui-même ou de ses proches, afin de placer l'épreuve sur le piano ou dans quelque album de famille. Pour satisfaire ce marché, on inventa l'ambrotype *(page opposée à droite)*. Le nom dérivait du grec *ambros* signifiant immortel et de *typos* qui veut dire image.

Le procédé utilisait la plaque humide, mais d'une façon spéciale. Les photographes avaient remarqué qu'en disposant contre un fond sombre un négatif, côté émulsion au-dessus, on pouvait discerner une image positive. Ce phénomène fut exploité en collant derrière un négatif un tissu noir ou en disposant une couche de vernis noir au dos du verre. Le négatif ne pouvait plus être utilisé pour obtenir des tirages, mais ce procédé économisait du temps et de l'argent. Le client payait une photographie beaucoup moins cher et, à condition d'attendre que le photographe habillât le dos de l'épreuve, il pouvait l'emporter presque immédiatement.

NADAR : *Sarah Bernhardt,* 1859

PHOTOGRAPHE INCONNU : *Le maître d'équitation,* vers 1860

L'ambrotype n'est rien de plus qu'une plaque au collodion humide, portant un négatif et dont le dos a été enduit d'une couche de vernis noir ou garni d'un tissu noir. La partie de droite de la plaque présentée ci-dessus n'a pas été noircie et se présente donc sous la forme d'un négatif ordinaire. La partie présentée à gauche a été noircie au dos et laisse apparaître une image en positif. A droite, l'illustration présente une plaque complète après noircissement.

PHOTOGRAPHE INCONNU : *Un soldat,* vers 1860

La photographie sur ferrotype : une photographie plus rapide encore

En 1856, peu après le lancement de l'ambrotype, Hannibal L. Smith, un professeur de chimie au Kenyon College, fit breveter la ferrotypie; ce procédé très économique donnait une épreuve prête plus rapidement. L'économie de temps résultait de l'adoption de nouvelles techniques de traitement, l'économie d'argent de l'emploi de matériaux bon marché. Comme dans le cas de l'ambrotype, la ferrotypie résultait de la production d'un négatif au collodion humide qui, sur un fond noir, apparaissait en positif. Hannibal, au lieu d'utiliser une plaque de verre comme support de la couche de collodion et d'en garnir le dos d'un tissu noir, se servit d'une simple plaque en fer blanc, émaillée en noir ou couleur chocolat.

Ce processus connut un vif succès. Les photographes pullulèrent, réalisant des images des enfants jouant dans les parcs, des familles en pique-nique, des mariés à la sortie de l'église. Aux États-Unis, les conscrits se faisaient photographier avant de partir pour la guerre de Sécession. L'image obtenue était assez fruste, mais un photographe quelque peu talentueux savait tirer du procédé de la ferrotypie des portraits très vivants *(voir à droite)*.

La ferrotypie, comme le daguerréotype, donnait une image unique, ce qui interdisait la multiplication des épreuves; de nombreux photographes utilisèrent des appareils à objectifs multiples, permettant de prendre plusieurs photographies sur-le-champ. Même après que la bobine de pellicule et l'appareil photographique en forme de simple boîte, ou « box », eurent permis à chacun de se muer en photographe, les professionnels opérant sur plaque ferrotype continuèrent à prospérer. Jusque vers 1930, on en trouvait encore un nombre relativement élevé aux États-Unis et aujourd'hui il en subsiste en Amérique du Sud et dans d'autres régions du monde. □

PHOTOGRAPHE INCONNU : *Portrait d'Indien*, vers 1860

Photographier le monde 3

HOTOGRAPHE INCONNU : *William Henry Jackson en train de photographier Zuñi Pueblo, près de Laguna (Nouveau-Mexique) à l'aide de sa chambre de campagne de 50 × 60 cm,* vers 1877

Portrait d'une époque

En mai 1842, un gigantesque incendie ravagea Hambourg (Allemagne) ; ce sinistre tua 100 personnes et détruisit plus de 4 000 bâtiments ; il laissa sans abri un cinquième de la population. Avant même que les cendres ne fussent froides, deux photographes, Carl F. Stelzner et Hermann Biow, s'aventuraient à travers les décombres et les maisons calcinées de la ville, lourdement chargés de tout un équipement qui comprenait un gros appareil photographique, des plaques métalliques argentées, une tente sombre, des produits chimiques, des sensibilisateurs et du matériel nécessaire au développement des plaques. Ils réalisèrent 40 daguerréotypes au lendemain même de la tragédie *(page opposée)*. Prises trois ans à peine après l'invention de la photographie, ces images constituaient sans doute les premiers documents traitant de l'actualité et que l'histoire connaisse.

Stelzner et Biow étaient des pionniers et l'avenir verra grossir rapidement les rangs d'un corps de photographes, qui se considéreront essentiellement comme des reporters chargés de transmettre des informations sur les événements et le monde dans lequel ils vivent. A leurs yeux, la photographie tirait sa force de la relation réaliste et immédiate de l'événement et non de son aptitude artistique à peindre les choses à l'exemple des paysages, des natures mortes ou des tableaux allégoriques issus de l'imagination. Au cours des cinquante années qui suivirent l'annonce grâce à laquelle Daguerre surprit le monde entier, ces pionniers débroussaillèrent la piste sur laquelle s'élancera ce qu'aujourd'hui nous appelons la photographie documentaire.

Les sujets qu'ils choisirent étaient aussi variés que ce monde qu'ils cherchaient à représenter : chefs d'état forgeant le destin des nations, ménagères marchandant avec les colporteurs, conflits sanglants ou scènes paisibles ayant pour cadre la place du village, les ruines des antiques civilisations et la croissance des nouvelles, la description des pays lointains ou des lieux familiers. Toujours chargés de leur encombrant matériel, ces photographes gravissaient les montagnes, descendaient dans les mines, montaient en ballon, traversaient des déserts, naviguaient sur des rivières au cours inconnu et se hasardaient au prix de leur vie sur des champs de bataille pour ramener ces images que le public tenait à voir.

Bien qu'il n'existât à l'époque aucun moyen de reproduire ces photos dans les journaux et les illustrés, du moins jusqu'à ce que fût inventée, vers la fin du XIXe siècle, la photogravure en demi-teinte, elles connurent une vogue d'une étendue surprenante. Nombreux étaient ceux qui achetaient des épreuves pour enrichir leur collection personnelle. D'autres recherchaient des livres — *l'Égypte, le Sinaï et la Palestine, le Mont Blanc et ses glaciers* — comportant des illustrations sous forme de photographies laborieusement collées sur les pages. Quelques hebdomadaires imprimèrent des illustrations tirées de gravures sur bois faites à partir de photographies.

La photo documentaire connut, vers le milieu du XIXe siècle, un succès particulier à la suite de l'invention de l'appareil stéréoscopique, qui permettait d'obtenir des photos jumelles, tirées côte à côte et montées sur un carton. A condition de les regarder à l'aide d'un stéréoscope — l'un des types les plus populaires fut construit par Oliver Wendell Holmes, un médecin et humoriste de Boston épris de photographie —, les deux images se fondent en une vue qui semble à trois dimensions. Le stéréoscope à caisse de chêne et son jeu de cartes à trois dimensions devint un des éléments du salon de l'époque victorienne, apportant à des millions de personnes une nouvelle et passionnante conception de leur monde.

Certes, les photos de voyage et les portraits attiraient le plus gros de la clientèle, mais des hommes comme Stelzner et Biow avaient vite décelé l'aptitude de l'appareil

CARL F. STELZNER : *Hambourg*, 1842

Réalisant la première photographie de reportage, Carl F. Stelzner exécuta ce daguerréotype ayant pour thème l'incendie de Hambourg en 1842 ; il opéra du haut du toit d'une maison au bord de l'Elbe pour montrer les ruines du quartier de Alster. Au premier plan, la rive d'un canal est littéralement jonchée de débris provenant d'immeubles, d'entrepôts et d'un pont.

photographique à fixer l'actualité, l'instant, et d'enregistrer un fait avec une fidélité permettant, à qui contemplait une de ces photos, de se sentir au cœur de l'événement. Grâce à la photographie et pour la première fois, le comptable londonien, le mécanicien de Boston, le maître d'hôtel parisien pouvaient se sentir présents, au moins par délégation, lors de certains événements historiques comme le couronnement de Guillaume, roi de Prusse, la proclamation par Pie IX de la doctrine de l'infaillibilité en présence d'un vaste rassemblement sur la place Saint-Pierre, ou la signature en Chine par des mandarins et des plénipotentiaires anglais d'un traité de paix.

Ces premières photographies de l'actualité eurent sans doute un impact particulièrement important sur le public lorsque la guerre leur servait de sujet. Peu avant 1850, une courte guerre éclata entre les États-Unis et le Mexique ; les photographes se trouvèrent sur place pour prendre des clichés des opérations ; on en compta dans un camp comme dans l'autre. Vers la même époque, un photographe prit des images d'une armée d'occupation russe, accourue à l'aide de l'empereur d'Autriche-Hongrie pour écraser une révolte hongroise. Ces documents n'apportèrent guère que des images assez guindées de troupes en formation de marche ou au bivouac. Cependant, le métier de reporter photographe aux armées était né et il allait mûrir entre 1855 et 1865 avec les reportages réalisés lors de la guerre de Crimée et de la guerre de Sécession aux États-Unis. Comme on peut le voir d'après les résultats obtenus par les deux photographes qui suivirent de particulièrement près les opérations militaires de ces deux conflits, la façon dont chacun d'eux fut couvert du point de vue documentaire fut essentiellement différente. Roger Fenton accompagna en Crimée les forces anglaises, françaises et turques, tandis que Mathew Brady dirigea l'équipe des photographes opérant dans les rangs des Nordistes et suivant le combat de leurs armées contre celles des Sudistes.

Les opérations militaires que suivait Fenton eurent pour cadre les collines et les vallées du littoral de la péninsule de Crimée qui présente un décor très accidenté. L'expansionnisme russe avait conduit la Turquie à déclarer la guerre en octobre 1853 ; en mars de l'année suivante, les Français et les Anglais s'allièrent aux Turcs. Peu avant que l'Angleterre ne déclarât la guerre, une publication anglaise, *The Practical Mechanics' Journal*, suggéra que la photographie fût mise à contribution pour « obtenir des représentations d'une précision indubitable des réalités de la guerre, de ses scènes occasionnelles, de ses succès comme de ses échecs. » Antérieurement, des artistes avaient suivi des opérations militaires et avaient représenté les combats mais, selon le *Journal*, le pinceau du peintre « se révèle incapable de rendre les faits survenant au cours de ces opérations, tandis que la photographie nous restitue vraiment l'événement. » Dans son enthousiasme pour la « véracité » de la photographie, le *Journal* oubliait un fait : le photographe ne représente que des vérités de son choix.

L'Angleterre se trouvait en guerre depuis un an lorsque la reine Victoria et le prince Albert choisirent personnellement Roger Fenton, un avocat de 35 ans, amateur photographe, et l'envoyèrent en Crimée. (Cette mission fut financée par les Éditions Thomas Agnew & Sons, de Manchester.) Le couple royal se souciait fort peu, en vérité, de ce que Fenton apportât un témoignage sur les « réalités » de la guerre et encore moins qu'il rendît compte des échecs militaires. Il est même possible qu'il ait reçu des instructions précises pour éviter de s'attarder sur ces aspects des opérations ; en Angleterre, la population se trouvait déjà largement renseignée sur ces côtés négatifs de la guerre par les journalistes dépêchés sur place.

Au cours de l'automne 1854 et de l'hiver qui suivit, la presse britannique se trouvait littéralement submergée d'histoires concernant les épouvantables conditions de vie des soldats et la façon presque criminelle dont la guerre était conduite. William Howard Russell du *Times* de Londres se montrait particulièrement virulent. Vers la fin novembre, il écrivait que les hommes se trouvaient engagés dans une campagne hivernale sans vêtements chauds et imperméables et que « nul ne semble se soucier de leur bien-être ou de leur vie. »

Dans une dépêche datée de décembre, il note : « Les morts sont allongés à côté des vivants dans la position dans laquelle la mort les a surpris... Les accessoires les plus indispensables à un hôpital font défaut... D'après tout ce que je vois, ces hommes meurent sans que le moindre effort soit fait pour les sauver. » Les états des pertes confirmaient ces sombres comptes rendus. Un huitième seulement des hommes qui succombèrent en Crimée périrent au combat, le reste fut terrassé par le choléra ou mourut de froid. En février 1855, juste avant que Fenton n'embarquât pour la Crimée, l'opinion publique obligea lord Aberdeen, alors Premier ministre, à démissionner. Dans cette situation politique extrêmement précaire, la reine donna très vraisemblablement à Fenton l'ordre de ne prendre aucune photographie susceptible d'accroître la colère de ses sujets.

Fenton et ses deux assistants débarquèrent à Balaclava, en Crimée, le 8 mars 1855. Ils disposaient d'un chariot, qui avait été aménagé de façon à leur servir à la fois de logement et de chambre noire, et leurs bagages comprenaient 36 caisses, contenant 5 appareils photographiques, un certain nombre d'objectifs de distances focales variées, quelque 700 plaques de verre non sensibilisées, des produits chimiques, un appareil de distillation de l'eau, des châssis de tirage, un fourneau, des vivres, du vin ainsi que les harnachements nécessaires aux quatre chevaux et tout un outillage de menuiserie. Fenton utiliserait la plaque au collodion humide, invention relativement récente ; elle devait être préparée juste avant emploi mais, par rapport aux procédés antérieurs, elle permettait des temps de pose bien plus courts.

A Balaclava, Fenton fut indigné par l'indifférence générale à l'égard des précautions sanitaires les plus élémentaires. « L'endroit n'est qu'une immense porcherie, écrit-il. Actuellement 80 moutons sont abattus quotidiennement à bord des vaisseaux mouillés en rade et leurs entrailles sont jetées par-dessus bord. D'un bout à l'autre du campement, les animaux nécessaires au ravitaillement sont abattus à proximité des tentes et les parties non consommables, abandonnées sur place, pourrissent pendant des jours. » De telles scènes, qui auraient offensé le bon goût de l'époque victorienne et même la reine, ne retinrent toutefois pas l'attention du photographe.

Au contraire des soldats, Fenton connut des conditions matérielles relativement confortables durant son séjour en Crimée. Il fut reçu chaleureusement dans les états-majors où la bonne chère, les bons crus et autres satisfactions n'étaient que routine, mais son travail l'amena à partager avec les combattants la vie dangereuse et pénible du front. Peint de couleur claire pour réfléchir la chaleur, son chariot était visible de très loin sur le champ de bataille ; il servit fréquemment de cible aux artilleurs russes, qui croyaient sans doute avoir affaire à un attelage de transport de munitions. Une fois, un projectile emporta même le toit du véhicule ; Fenton et ses assistants ne furent heureusement pas blessés.

Le photographe et ses deux aides eurent bien davantage à souffrir de l'intense chaleur sèche du début de l'été, avec son cortège de nuages de poussière et d'essaims de mouches. Leur abri devint un véritable four dans lequel les hommes

ROGER FENTON : *Cuisine du 8e Hussards en campagne, guerre de Crimée,* 1855

Sur ces photographies prises par Roger Fenton, qui mettent en scène des soldats aux uniformes coquets pendant un repas en rase campagne ou nous donnent une description du bivouac bien ordonnancé d'une unité d'artilleurs, la guerre de Crimée semble assez fraîche et joyeuse (ci-contre). En fait, ces photos ne rendent pas compte de l'autre aspect de la guerre : la véritable condition des soldats mal équipés et grelottant de froid ou frissonnant sous la pluie, l'état sanitaire absolument détestable qui favorisait la propagation des épidémies de choléra, les bévues du commandement militaire, les souffrances et les pertes effroyables qui furent le lot de cette ultime guerre d'une armée de métier pleine de traditions chevaleresques.

ROGER FENTON : *Camp de l'artillerie montée, guerre de Crimée,* 1855

et le matériel cuisaient littéralement. « Lorsque, pour préparer mes plaques, je ferme la porte du chariot, écrivait Fenton, la sueur coule sur mon visage et tombe en grosses larmes... L'eau du bain de développement est si chaude que je peux à peine y tenir la main. » Tout le travail en chambre noire devint très difficile. Le nettoyage des plaques posait de graves problèmes. Les minuscules dépôts de corps étrangers sur les plaques de verre, qui sous d'autres climats n'étaient guère gênants, réagissaient sur les produits chimiques utilisés et tachetaient ou striaient les négatifs. Appliquer l'émulsion sur des plaques de grandes dimensions devenaient une tâche exaspérante. Bien que dilué, le collodion se figeait souvent au centre de la plaque avant que les bords n'aient pu en être enduits. La plaque une fois prête, le collodion séchait parfois — diminuant de ce fait très largement la sensibilité de la plaque — avant que le photographe ait eu le temps de la glisser dans un châssis, de garnir son appareil et de ramener sa plaque à l'abri de l'obscurité de la chambre noire.

En dépit de ces handicaps, Fenton réussit à prendre un certain nombre d'excellentes photos *(pages 82-83)*. Le temps d'exposition relativement long qu'exigeait la plaque au collodion humide l'empêcha de saisir l'action proprement dite, mais il réalisa des photos d'officiers et de soldats qui donnent une remarquable impression de spontanéité et de vie. Cependant, ces photos n'offrent qu'un aperçu extrêmement sélectif d'une guerre sans morts, sans destructions, d'où l'horreur, la souffrance, la peur sont absentes. Nous voyons un officier prêt à se délecter d'un bon verre de vin après une rude journée sur le champ de bataille, un groupe de soldats apprenant à un chien à faire le beau, des canonniers faisant la sieste près de leurs mortiers. Seules quelques images, celles par exemple des « Tombes de la Colline de Cathcarts » (une demi-douzaine de pierres tombales et des hommes faisant monter les couleurs) ou celle de « La Vallée de l'Ombre de la Mort » (une route déserte labourée par les boulets) nous rappellent tout juste que la guerre est une entreprise meurtrière.

Si les combattants de Crimée étaient en droit de faire quelques réserves sur l'interprétation peu objective que Fenton donnait des hostilités, apparemment la la reine Victoria, son gouvernement et le peuple anglais n'y trouvaient rien à redire. A son retour en Angleterre, en juillet 1855, le photographe fut chaleureusement reçu par la famille royale et des dispositions furent immédiatement prises en vue d'exposer plusieurs centaines de ses photos à Londres, puis dans d'autres grandes villes : des albums furent édités et l'on vendit aussi des images à la pièce. Dans la mesure où la mission de Fenton contrebalançait en partie l'impression laissée dans le public par les sombres comptes rendus des correspondants de guerre et par les états des pertes, elle se révélait un succès.

Au début de l'été 1861, soit six ans après le retour de Fenton en Angleterre, le président Abraham Lincoln, quoique plongé dans la préparation de ses plans de campagne en vue de la première grande bataille de la guerre de Sécession, prit le temps d'écouter la requête d'un photographe et de jeter deux mots sur un bout de papier : « Laissez passer Brady ». En autorisant le fameux photographe portraitiste Mathew Brady à suivre les armées nordistes n'importe où, Lincoln ouvrait la voie à un genre de reportage photographique sans précédent *(pages 96-103)*.

Les images retraçant les péripéties de la guerre et les autres événements de l'actualité apportaient pour la première fois les réalités de la vie à des millions de personnes jusque dans leurs foyers. Cependant, une fois passées, ces réalités tombaient vite dans l'oubli. Brady, quant à lui, eut les plus grandes difficultés à vendre quelques photos de la guerre une fois celle-ci terminée. Les merveilles exotiques du monde fascinaient les gens bien davantage. Certes, il s'était toujours trouvé des artistes pour croquer des lieux peu familiers. Mais un dessin reflète toujours la personnalité de son auteur, ce qui diminue sa crédibilité. L'appareil photographique apportait à tout un chacun un élargissement de ses horizons personnels. La photographie apparaissait comme une représentation fidèle de la réalité, obtenue grâce à un processus mécanique.

L'image photographique offrait aux sédentaires le loisir de voyager par personne interposée, et de visiter n'importe quel point du monde, ou presque ; les meilleurs photographes de l'époque leur servaient de guide. En 1856, Francis Frith, un éditeur anglais, qui était aussi photographe, remonta le Nil sur près de 2 000 kilomètres jusqu'à la deuxième chute ; il ramena de son voyage des photographies des

TIMOTHY H. O'SULLIVAN : *Le chariot-laboratoire du photographe et ses mules dans le désert du Nevada,* 1868

Pour fixer l'image des vastes espaces solitaires du désert au nord de Death Valley (la Vallée de la Mort), Timothy H. O'Sullivan escalada une dune de sable et photographia l'ambulance qui lui servait de laboratoire photographique.

Pyramides, du Sphinx, des temples antiques essaimés sur les bords du fleuve *(pages 110-111)*. Louis-Auguste Bisson et son frère Auguste-Rosalie hissèrent leur matériel photographique dans les Alpes jusqu'à une altitude de 4 810 m pour en photographier les pics, tandis que Carlo Ponti et James Anderson s'intéressaient aux merveilles des lagunes de Venise et aux ruines de la Rome antique.

Chose curieuse, un des plus beaux paysages au monde, la région sud-ouest des États-Unis, ne fit l'objet que de très rares photographies jusqu'au cours de la décennie qui suivit la fin de la guerre de Sécession. Cette région des Rocheuses avait été découverte depuis longtemps déjà par les explorateurs et les artistes, mais le grand public n'avait pas tenu grand compte de leurs narrations émerveillées ou de leurs dessins. L'incrédulité à laquelle ces témoignages s'étaient heurtés fut largement balayée lorsqu'à leur tour les photographes entrèrent en scène. Un des premiers à visiter cette lointaine région de l'Ouest, Timothy H. O'Sullivan, avait longtemps travaillé avec Brady avant et pendant la guerre de Sécession *(page 98)*.

Les tribulations et les périls de la campagne l'avaient mis à rude épreuve — par deux fois, alors qu'il opérait, son appareil avait été malmené par des éclats de projectiles — et cette dure école l'avait bien préparé à la tâche qui l'attendait en compagnie des équipes gouvernementales chargées du relevé topographique de la contrée. Dès sa première expédition vers les Rocheuses en 1867, son groupe se heurta à des amoncellements de neige, si hauts que les hommes et les mules pouvaient s'y enfoncer et disparaître sans laisser de trace. Pour que la progression fût moins périlleuse, l'équipe marchait de nuit, profitant du froid intense qui durcissait un peu la neige sous les pas. Par la suite, O'Sullivan conta qu'en une occasion il leur fallut treize heures pour franchir, sur une distance de 4 kilomètres, la ligne de séparation des eaux. Ces heures furent consacrées en grande partie à déhaler les mules des trous dans lesquels elles tombaient.

Au cours de cette même expédition, le photographe faillit trouver la mort en franchissant les rapides de la Truckee, une rivière de l'actuel Nevada. Par chance, il se tira de ce mauvais pas, non sans subir une perte financière. Le petit bateau sur lequel il voyageait en compagnie de quelques hommes fut déporté par le courant et vint s'encastrer entre deux rochers. Pour le dégager, les hommes tentèrent de pousser sur la roche avec leurs avirons mais ne réussirent qu'à les perdre. Ne gardant que ses sous-vêtements, O'Sullivan plongea pour tenter d'aller dégager le bateau. Les remous l'entraînèrent sous la coque et il fit surface un peu en aval. Gagnant la rive à la nage, il cria à ses compagnons de lui lancer une amarre ; ils suivirent son conseil mais lestèrent le bout de l'amarre avec la bourse de O'Sullivan, qui contenait 15 pièces en or de 20 dollars. Le bout de la ligne parvint au photographe, mais sa bourse disparut dans les remous de la rivière. « Pieds nus, je l'ai longtemps recherchée dans l'eau », raconta-t-il par la suite, non sans une nuance d'amertume.

Du point de vue photographique, son voyage fut plus heureux. Au cours de cette première expédition, il photographia partie du désert californien et ces étincelants tertres de sable, aussi blancs que la neige, le fascinèrent, comme le prouvèrent tant ses photographiques *(pages 84-85)* que ses propres descriptions. « Les contours de ces éminences sont gracieux et sinueux, nota-t-il. Ces lignes sont continuellement brisées en arêtes vives par l'effondrement de partie de ces monticules, minés qu'ils sont par les vents aigres, qui surgissent au cours des dernières heures du jour et durent toute la nuit. »

O'Sullivan fit cinq expéditions en direction de l'Ouest et ramena quelques-unes des plus belles photos qu'on ait jamais faites de la région. Cependant, son œuvre ne retint guère l'attention à l'époque et, lorsqu'à l'âge de 42 ans, il fut emporté par

WILLIAM HENRY JACKSON : Flèches de cathédrale dans le « Garden of the Gods » (Jardin des dieux), Colorado, 1873.

Les vues de l'Ouest des États-Unis, comme cette photo d'aiguilles de grès ayant subi une spectaculaire érosion et qui se dressent dans les contreforts des Rocheuses, provoquèrent l'afflux des touristes lorsqu'elles furent diffusées dans l'Est des États-Unis.

la tuberculose, on l'enterra à Staten Island (New York) dans une tombe anonyme.

Cependant, certains des photographes qui s'aventurèrent dans l'Ouest furent appréciés. Le plus réputé d'entre eux fut sans doute William Henry Jackson. Né à Keeseville (New York) en 1843, Jackson s'était familiarisé dès son enfance avec l'emploi des appareils photographiques, grâce à son père qui pratiquait l'art du daguerréotype. Le futur photographe s'intéressa d'abord à la peinture et, à l'âge de quinze ans, il quitta l'école pour gagner sa vie en peignant des portraits et des paysages ou en coloriant des photos. Par la suite, il s'installa dans le Vermont, où il trouva du travail comme assistant d'un photographe. Lorsque la guerre de Sécession éclata, il s'engagea dans les rangs des Nordistes, servit son temps sans jamais recevoir le baptême du feu puis, quittant l'uniforme, revint dans le Vermont et reprit ses travaux photographiques. Il réussit bien financièrement, mais en 1866 une malencontreuse affaire d'amour l'obligea à quitter le Vermont et on le retrouve bientôt en route vers l'Ouest, gagnant sa vie par moments comme conducteur de chariot à bœufs des convois du Far West. En fin de compte, il s'arrêta à Omaha et monta un studio de photographie.

La routine de son négoce ne tarda guère à l'ennuyer; aussi, transformant un chariot en atelier photographique, il se remit en route vers l'Ouest pour photographier les Indiens. Une telle entreprise n'aurait guère convenu à un caractère nerveux. A l'époque, les deux grandes compagnies l'Union Pacific et la Central Pacific posaient, en direction de l'ouest, les rails de la première voie ferrée transcontinentale et autour d'Omaha les Indiens résistaient vigoureusement à l'emprise du monde de la technologie. Les équipes au travail furent l'objet d'un certain nombre d'attaques. Au cours de sa première expédition, une excursion de six jours d'Omaha à Cheyenne, Jackson réussit à persuader les Indiens des diverses tribus locales, non seulement de lui laisser son cuir chevelu, mais de poser pour lui. Les tirages de ces photos se vendirent très bien. Encouragé par ce premier succès, il entreprit divers autres voyages plus longs et ramena des photos de lieux insolites comme la vallée du lac Salé, les monts Wasatch, les cañons Echo et Weber.

Au cours de l'été 1870, Jackson escorta le Dr Ferdinand V. Hayden, médecin et géologue, chargé par le gouvernement des États-Unis d'une mission d'étude le long de la piste qui, à travers le Wyoming, gagnait l'Orégon. Ce contact avec Hayden allait être à l'origine du plus intéressant des travaux de Jackson ; une année plus tard, il réalisa un ensemble de photographies qui jouèrent un rôle capital dans la préservation pour les générations futures de la majesté des sites sauvages de l'Ouest. Fasciné par ce qu'il avait entendu au cours d'une conférence sur les merveilles de la région de Yellowstone, Hayden convainquit le Congrès d'accorder en 1871 les crédits nécessaires à une expédition. Dès qu'il eut la latitude de recruter un photographe, il demanda à Jackson de se joindre à la mission.

L'expédition quitta Ogden (Utah) vers le début de juin. La plus grande partie du matériel de Jackson fut transportée dans une ancienne ambulance, équipée pour servir de chambre noire. Lorsque le photographe avait à travailler dans une région montagneuse, inaccessible à son chariot, une robuste mule, du nom de « Hypo », se chargeait de son matériel. En fait de chambre noire, il utilisait une tente spécialement aménagée. « Lorsque le temps pressait, nota par la suite Jackson, je ne disposais que de quinze minutes pour obtenir un négatif entre l'instant où les premiers haubans de la tente étaient déballés et celui où le paquetage se trouvait refait. »

Photographier la région de Yellowstone était malaisé et parfois même périlleux, mais, parce qu'il découvrait ces merveilles pour la première fois et parce que personne n'avait eu l'occasion de les photographier antérieurement, Jackson fut littéralement pris par sa tâche. L'expérience acquise au cours de ses premières expéditions dans les régions sauvages lui servit grandement. Il était particulièrement entraîné à faire flèche de tout bois et à utiliser des moyens de fortune. Lorsqu'il photographia certaines sources d'eau chaude, les Mammoth Hot Springs, par exemple, il sut tirer parti de son sujet à des fins pratiques. Après avoir pris et développé ses photos, il se servit ainsi pour laver ses plaques de l'eau à 50 °C qui cascadait du haut en bas d'une succession de bassins semi-circulaires; il savait qu'elles sècheraient plus vite du fait de la chaleur de l'eau.

Plein de ressources, Jackson était également robuste, fort heureusement pour sa mission. Un jour, après avoir pris un certain nombre de photos en opérant à la partie supérieure de Tower Falls, une cascade de Yellowstone haute de près de 70 mètres, il décida de faire quelques photos à partir du pied de la chute, mais sans déplacer tout son matériel. Emportant quelques plaques et son appareil photographique, il descendit donc, prit ses clichés, remonta, les développa, prépara une nouvelle série de plaques et redescendit. Pour conserver le degré d'humidité nécessaire à ses plaques, tant au cours de la descente que de la montée, Jackson en garnit la face postérieure de papier buvard humide; ensuite, il les glissa dans des châssis et, après les avoir enveloppées dans des serviettes humides, il empaqueta le tout dans une toile noire. La première descente et la dernière remontée furent particulièrement délicates car, outre les plaques, il lui fallait transporter son appareil photographique. Toutefois les aller et retour intermédiaires demeuraient des entreprises malaisées et le photographe ne pouvait guère en effectuer que quatre par jour. « Chaque plaque m'a coûté beaucoup de peine et d'efforts », avoua Jackson, qui était pourtant dur à la tâche.

Il ne ménagea pas son labeur, mais les résultats furent à la mesure du mal qu'il s'était donné; il rapporta environ 400 négatifs de décors naturels, qui étaient parmi les plus beaux du monde. De profonds cañons, des chutes d'eau et des cascades, des geysers projetant dans les airs des colonnes d'eau bouillante, des lacs paisibles, des forêts luxuriantes et d'inquiétants sulfatares : toutes ces images faisaient partie de son reportage photographique. Les histoires qu'ils avaient rapportées de leurs reconnaissances de la région de Yellowstone avaient valu aux premiers explorateurs d'être traités de menteurs. Grâce à ses photos, Jackson administrait la preuve irréfutable de la véracité des toutes premières descriptions.

Tout au début de la session parlementaire de 1871-1872, S.C. Pomeroy, sénateur du Kansas, déposa un projet de loi visant à instituer le Parc national de Yellowstone, le premier du genre aux États-Unis. Les sénateurs se montrant très réticents à admettre les réalités décrites par les comptes rendus oraux, Pomeroy éprouva de grandes difficultés à faire prendre son projet en considération. L'atmosphère changea totalement le jour où il put déclarer : « Il existe des photographies de la vallée et de ses curiosités que les sénateurs peuvent examiner. » Après avoir vu ces photographies, les sénateurs, ainsi que les membres de la Chambre des Représentants, adoptèrent rapidement la proposition et, le 1er mars 1872, le président Ulysses S. Grant transforma cette proposition en loi. Désormais, la région de Yellowstone se trouvait préservée pour « le plus grand bénéfice et la satisfaction du public. » Les photographies de Jackson, et en particulier ses vues stéréoscopiques qui connurent une grosse vente, contribuèrent au lancement du tourisme à Yellowstone et à son succès. De riches amateurs de sports, des aventuriers et même des dames de la haute société de l'Est des États-Unis ainsi que leurs

A l'entrée d'une tente, trois squaws shoshone et un bébé bien empaqueté posent pour l'objectif de William Henry Jackson. Au cours de ses voyages à travers l'Ouest, Jackson prit des centaines de photographies de ce genre : villages de tentes et pueblos indiens, hommes effectuant des danses tribales, femmes écrasant le grain et chefs vêtus de leurs plus beaux habits ornés de plumes et attendant fièrement que le photographe réalisât leur portrait. Ces photographies constituent un des rares documents sur la vie des Indiens d'Amérique du Nord à une époque où ils n'étaient pas encore consignés dans des réserves.

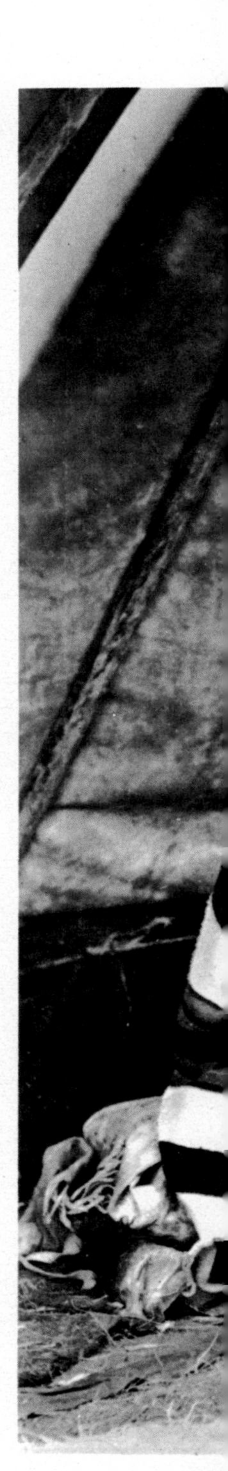

WILLIAM HENRY JACKSON: *Tente shoshone,* vers 1870

familles firent le voyage pour admirer de leurs propres yeux les sites photographiés par Jackson.

Au cours des six années qui suivirent, Jackson accompagna Hayden lors de diverses expéditions et il eut ainsi l'occasion de photographier le Grand Teton dans l'état du Wyoming, les Rocheuses dans la région de Pike's Peak et les ruines pré-colombiennes des pueblos de troglodytes du plateau de la Mesa Verde dans les monts San Juan (Colorado). En 1906, le plateau de Mesa Verde fut également déclaré Parc national. En 1878, un vent d'économie mit un terme à la collaboration de Jackson avec les services topographiques américains (U.S. Geological Survey) et, travaillant à son propre compte, il réalisa une modeste fortune en effectuant des reportages photographiques dans diverses régions des États-Unis, du Canada et du Mexique. Entre 1880 et 1890, le procédé de la simili-gravure fut commercialisé et Jackson, changeant d'activité, prépara des clichés d'impression pour la reproduction des photos dans les journaux et illustrés ; cette fois encore, il connut la réussite financière. En 1924, à l'âge de 81 ans, il s'installa à Washington (D.C.) et se remit à la peinture qu'il n'avait jamais complètement abandonnée. A 93 ans, il réalisa une série de peintures à l'huile représentant l'Ouest d'autrefois, que l'on peut encore voir au musée des Arts du ministère de l'Intérieur. Peu avant sa mort, qui survint en 1942 alors qu'il était à quelques mois de devenir centenaire, il s'intéressait encore à la photographie. Son nom ne sera sans doute pas oublié de sitôt. Divers lieux, le Jackson's Canyon sur les bords de la North Platte river, sur la piste menant à l'Orégon par la chaîne des Mormons, le lac Jackson dans les monts Grand Teton, la Jackson's Butte sur le plateau de la Mesa Verde constituent des monuments permanents à la mémoire du grand photographe et de son œuvre.

Au cours des décennies qui virent l'appareil photographique jouer un rôle documentaire grandissant, tant dans le domaine de l'actualité que dans celui de la description des lieux, les photographes s'intéressèrent aussi à la description des conditions de vie des peuples. Au XIXe siècle, un certain nombre d'entre eux réalisèrent des photographies des personnalités influentes ; ces portraits n'étaient pas strictement privés mais destinés à un large public. En 1850, Mathew Brady édita *The Gallery of Illustrious Americans,* un album « contenant les portraits des douze plus éminents citoyens de la République américaine depuis l'époque de Washington... » La liste des citoyens considérés alors comme éminents comprenait entre autres Henry Clay, John James Audubon, Daniel Webster et des noms presque oubliés comme ceux du président Millard Fillmore ou de Lewis Cass, un politicien du Midwest. Brady photographia 19 des 20 présidents que les États-Unis connurent entre 1825 et 1896. (Le président William Harry Harrison, le seul qui manquât à cette collection, était mort en 1841, avant que Brady ne soit devenu un professionnel de la photographie.)

Vers la fin du siècle dernier, le comte italien Giuseppe Primoli, qui jouissait des faveurs de la haute aristocratie, tant en France qu'en Italie, réalisa un ensemble de photographies très exhaustif, véritable reportage sur le monde très fermé de la noblesse européenne. Ses photographies des gens de la haute société, dans leurs travaux comme dans leurs divertissements, constituent une des meilleures peintures de cette période dite de la « Belle époque » *(pages 90-93).* Homme d'un grand dynamisme, Primoli parcourut toute l'Europe, photographiant les souverains au cours de leurs réceptions, se déplaçant à cheval ou en voiture, participant à des chasses ou à des exercices militaires ; il était souvent suivi d'une horde de

GIUSEPPE PRIMOLI : *Réception au palais du Quirinal,* 1893

GIUSEPPE PRIMOLI : *Serviteurs s'affairant lors du mariage de Victor-Emmanuel III,* 1896

En tant que membre de la haute aristocratie européenne, le comte Guiseppe Napoleone Primoli était invité aux fêtes et aux cérémonies les plus élégantes. Les fêtes données en 1893 au Palais Royal lui permirent de capter, comme on le voit sur la photographie de la page opposée, la grandiose envolée de cette cérémonie en l'honneur des noces d'argent du roi Umberto Ier et de la reine Marguerite. A l'inverse, sur la photographie ci-dessus Primoli s'est soucié de fixer sur la plaque photographique les détails secondaires de cette autre grande cérémonie royale, le mariage, en 1896, du futur roi Victor-Emmanuel III et de la princesse Hélène de Monténégro.

serviteurs, qui l'aidaient à transporter d'un endroit à un autre ses appareils photographiques, sa chambre noire et son équipement, ses centaines de plaques de verre. Tel le photographe de presse moderne, il n'était satisfait qu'après avoir épuisé son sujet, en prenant de nombreuses photographies sous divers angles et en fixant tous les détails de l'événement. (Qu'il ait réussi au cours de ses trois premières années d'activité photographique à exposer quelque 10 000 plaques n'est guère surprenant, en définitive.) A l'exemple du reporter d'aujourd'hui, il cherchait souvent à capter une situation, moins en décrivant les détails de l'action elle-même qu'en saisissant les réactions des personnes à l'événement. S'il allait aux courses, il dédaignait de photographier les chevaux, mais braquait son objectif sur les tribunes pour fixer les changeantes expressions des visages des spectateurs. Primoli s'intéressait à tout et à n'importe quoi. Quand Buffalo Bill et ses Indiens vinrent à Rome, plantant sa tente auprès des leurs, Primoli les persuada de se laisser photographier. En dépit de son enthousiasme pour l'art de la photographie, l'Italien n'avait rien du dilettante; le côté réaliste de l'existence ne lui échappait pas. Parmi les meilleures de ses photographies, certaines représentent des agents de ville au travail, une femme en train de se coiffer *(pages 92-93),* et même des mendiants ou des enfants dormant dans les rues et des prisonniers enchaînés.

Les études photographiques les plus pénétrantes, concernant la vie dans les villes, sont peut-être celles qu'a réalisées à Londres le photographe John Thomson. Il centra son intérêt sur les bas quartiers de Londres et il devint le premier à utiliser délibérément la photographie afin de dénoncer un problème social avec vigueur. Sa réputation de photographe était bien assise avant qu'il ne fît des pauvres de Londres une cause personnelle. Né en Écosse en 1837, il suivit les cours de l'université d'Édimbourg, passa sa licence de chimie, mais la photographie ne tarda pas à l'accaparer. En 1862, il embarqua, avec ses appareils photographiques et tout son équipement de plaques au collodion humide, sur un vapeur en partance pour l'Extrême-Orient. Thomson visita successivement le Siam, le Cambodge, Formose, la péninsule Malaise et la Chine ; ses saisissantes photos des populations des cités et des paysages de ces divers pays lui servirent de base à la publication d'une série de quatre volumes, dont il rédigea le texte et qu'il enrichit de lithographies, d'un type spécial appelé phototypie, tirées de ses photographies. Ces ouvrages firent l'objet d'appréciations élogieuses et Thomson devint l'un des photographes les plus célèbres d'Angleterre.

Peu après 1870, Thomson fit la connaissance d'Adolphe Smith, un journaliste, qui lui proposa de travailler en collaboration à un livre consacré aux bas quartiers de Londres. Tous deux ne tardèrent guère à se mettre au travail, à prendre des notes et des photos. Il en résulta un ouvrage intitulé *Street Life in London (la Vie de la rue à Londres)* qui contenait 36 études de cas particuliers, chacune illustrée par une photo de Thomson reproduite selon un procédé semblable à la phototypie. Le livre fut édité en 1877 à une époque particulièrement propice étant donné le sujet traité par l'ouvrage.

La Grande-Bretagne était entrée dans une ère d'autocritique et de mutation sociale, période dans laquelle, pour reprendre un mot de Lytton Strachey, un biographe et un critique, « Victoria se trouvait condamnée à vivre dans une atmosphère agitée de perpétuelles réformes... » Une des troublantes questions soulevées à l'époque n'est pas sans une certaine résonance familière de nos jours : pourquoi, dans une société nantie et progressiste, y a-t-il tant de citoyens qui soient forcés de vivre dans une si abjecte pauvreté?

Apparemment conscients du fait que certaines études antérieures, non illustrées et visant à décrire les bas quartiers, avaient été sans portée parce que considérées comme exagérées, Thomson et Smith prirent la précaution d'indiquer dans leur introduction qu'ils faisaient appel à la « précision de la photographie pour mieux illustrer leur sujet. L'exactitude indubitable de ce témoignage nous permettra de présenter de véridiques types de Pauvres de Londres et nous protégera de l'accusation d'exagérer ou de minimiser les aspects de ces cas singuliers. »

Dans le choix de ses photographies, Thomson parvint à un remarquable équilibre *(pages 94-95)*. La saleté, les loques, la tristesse de l'environnement, la dégradation et le désespoir, rien n'a échappé à son objectif, mais il a su montrer aussi que, même dans les pires conditions, l'humour, la chaleur humaine et le courage continuent à fleurir. Prise dans une série intitulée « Les Impotentes », cette photographie, représentant une femme entre deux âges, qui peut à peine se traîner d'un lieu à un autre, constitue à elle seule un véritable essai photographique sur l'indifférence de la société. Le texte apporte un commentaire : « Pressées les unes contre les autres sur les marches de l'asile des pauvres de Shorts Gardens, ces épaves humaines, les Impotentes de St. Giles, offrent nuit et jour le spectacle de leur mutuelle quête de réconfort et de chaleur humaine pour soulager leur extrême misère physique et morale. En règle générale, il s'agit de pauvres vieilles que le vice et la pauvreté ont réduites à cet état de lamentable infortune qui anéantit jusqu'à la force de mendier. » Le même climat de défaite est également présent dans d'autres photographies, comme « Les Nomades de Londres », montrant deux femmes et deux hommes sales et las de fatigue, et qui, apparemment incapables de s'intéresser à quelque chose, sont assis devant une vieille roulotte délabrée, à la porte de laquelle deux enfants aux visages déjà vieillis passent la tête.

Formant contraste avec de telles photographies, d'autres présentent de souriants gamins achetant des glaces à un marchand, une famille posant d'un air emprunté dans un parc devant l'objectif d'un photographe ambulant, un jeune musicien italien jouant de l'harmonica pour un petit auditoire très attentif. Bon nombre de ces photographies se contentent de montrer les activités des habitants de ces bas quartiers et les lieux qu'ils fréquentent: la boutique d'un fripier à la devanture de laquelle des vêtements usagés pendent, comme les voiles d'un navire encalminé, un camelot « docteur » vendant « un remède contre la toux », un serrurier à l'œuvre dans sa baraque, un jeune cireur de chaussures, une charrette municipale arrosant la rue, une femme achetant des fraises, des gamins regardant avec avidité à travers la vitre l'intérieur d'une gargote, à la porte de laquelle se tient le propriétaire.

Comme Dickens l'avait fait antérieurement dans divers de ses romans, Thomson, grâce à son ouvrage *Street Life in London,* cherchait par l'intermédiaire de son objectif à piquer au vif la conscience britannique, dans l'espoir d'améliorer le sort des pauvres. Au cours des décennies qui suivirent, l'emploi de la photographie comme arme pour aborder les sujets de fond ne cessa de croître à mesure que les photographes dénonçaient les conditions de vie sordides, les unes ignorées, les autres ne rencontrant que l'apathie de la société. Peu après 1890, Jacob A. Riis prit pour sujet les bas-fonds de New York; son remarquable ouvrage *How The Other Half Lives* (Comment vit l'autre moitié), un texte rehaussé de photographies, constitue un accablant réquisitoire sur la pauvreté dans une des plus riches villes

GIUSEPPE PRIMOLI : *Agents de l'ordre public et carabiniers, Rome,* vers 1884

GIUSEPPE PRIMOLI : *Jeune fille en train de se coiffer,* vers 1895

Comme tous les reporters photographiques de grand talent, Giuseppe Primoli se donna le mal de chercher à saisir les détails très humains qui marquent l'existence des gens du commun, comme par exemple ces agents de ville (à gauche) posant en compagnie de leur chef dans un décor de barricades, dressées à l'occasion d'une course à cheval dans les rues de Rome lors du carnaval, ou la jeune fille ci-dessus qui, juchée sur un tabouret, est occupée à se parer dans un miroir, sous le regard très attentif d'un de ses admirateurs.

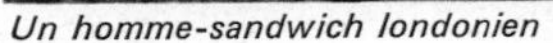
Un homme-sandwich londonien

Le brocanteur

« Billy, l'homme en fer forgé » (à gauche), conducteur d'omnibus

du monde. Dix ans plus tard, Lewis Hine utilisa ce qu'il appelait des « interprétations photographiques » pour s'indigner contre l'impitoyable exploitation du travail des enfants dans les usines à bas salaire. Son analyse joua un grand rôle dans la promulgation d'une législation sur le travail des mineurs. Vers 1930, au cours de la grande crise économique, la regrettée Margaret Bourke-White, photographe de LIFE et de FORTUNE, s'associa au romancier Erskine Caldwell; ils produisirent *You Have Seen Their Faces* (Ces visages, vous les avez vus), un essai photographique sur les terribles souffrances des pauvres du Sud. De nos jours, cette forme traditionnelle, associant un reportage photographique à un commentaire, fait partie intégrante des moyens de la diffusion des idées et constitue une des forces majeures au service de l'action communautaire, qu'il s'agisse de simples articles dans les quotidiens sur l'aliénation mentale chez les jeunes ou de grands essais photographiques dans les illustrés sur la pollution de l'environnement. □

L'ouvrage intitulé « Street Life in London » (la Vie de la rue à Londres) constitue le premier essai connu pour employer la photographie en tant que commentaire social; publiée en 1877, cette collection d'essais tente de décrire, comme l'indique la préface, « les divers moyens par lesquels nos malheureux concitoyens s'efforcent de gagner, de mendier ou de voler leur pain quotidien. Ces photographies, dont quelques-unes figurent sur ces pages, ont été prises par John Thomson qui, grâce à ses portraits photographiques d'une grande acuité et aussi à ses livres illustrés de photos, véritables études sur les cultures des pays d'Extrême-Orient, avait acquis une grande réputation. « La Vie de la rue à Londres » se vendait dans les kiosques en 12 publications comprenant chacune trois essais illustrés. Et l'ouvrage contribua grandement à mieux faire comprendre le problème de la misère dans les villes.

Trois hommes dans un « pub »

Petit cireur de chaussures

« Caney le Clown », le canneur de chaises

Marchandes de fleurs de Covent Garden

Bohémiens de Londres

Un vendeur de spécialités pharmaceutiques

Une des « Impotentes », gardant un enfant

Mariniers de la Tamise

Ramoneur

Une célèbre chronique de la guerre

Lorsque la guerre de Sécession déchira en deux les États-Unis d'Amérique, ce fut par centaines que combattants et journalistes s'armèrent d'appareils photographiques pour suivre les opérations militaires et rapportèrent des documents qui, en raison même de l'objectivité dont seule la photographie puisse se targuer, révélèrent aux gens de l'arrière la tragique vérité des combats. Cependant, de nos jours, seul le nom de Mathew Brady demeure étroitement lié à la notion de reportage photographique de la guerre de Sécession. Même les journaux de l'époque durent faire preuve d'imagination pour forger les mots susceptibles de traduire l'admiration que soulevait son travail. Dans le *New York World,* on peut lire : Brady et les membres de son équipe ont « traîné leurs bottes sur tous les champs de bataille ; ils ont su traduire l'atmosphère des hôpitaux et le côté romanesque du bivouac, fixer le grand apparat des revues militaires, mais oui ! saisir jusqu'aux fumées de la bataille, aux éclairs des pièces en batterie et même la tristesse et les destructions du champ de bataille durement conquis. »

Il se peut que Brady n'ait pris personnellement aucune photographie des batailles ; bon nombre de photos qu'on lui attribue ont été prises en réalité par ses assistants ; par ailleurs, certaines photos très remarquables résultent du travail de photographes indépendants comme Alexander Gardner, qui opéra seul après avoir quitté l'équipe de Brady et auquel on doit par exemple la photographie illustrant la page 100.

Toutefois, un juste tribut doit être payé à Brady en raison des 7 000 photographies relatives à la guerre de Sécession qui furent mises sur le marché sous son nom. Pour couvrir le vaste ensemble de champs de bataille intéressés par le conflit, un important corps de photographes était nécessaire et Brady était peut-être le seul qui pût organiser une telle équipe. En tant que principal photographe portraitiste de son époque, il connaissait bon nombre de généraux, d'hommes politiques — y compris le président Lincoln — et pouvait compter sur leur soutien.

Afin de couvrir toutes les opérations militaires, il expédia sur le front jusqu'à 22 voitures transformées en laboratoires photographiques ; il assigna à ses assistants des reportages particuliers, « à l'exemple d'un grand journal », précisera-t-il par la suite. Chacun de ces véhicules était muni d'une porte interdisant le passage de la lumière et qui menait à une sorte de compartiment descendant sous le plancher. « Les opérations d'étendage du collodion ou de sensibilisation des plaques, ainsi que leur développement, étaient pratiquées dans ce compartiment, tout juste assez grand pour pouvoir y travailler », écrira plus tard un de ces photographes. « L'opérateur, qui s'activait debout dans le laboratoire, avait à portée de sa main droite le récipient spécial contenant le collodion, et à sa gauche la tablette supportant un autre bain. Devant lui se trouvait le principal bain de développement avec, en avant de ce bain, les flacons contenant les divers produits liquides. Les plaques s'empilaient entre ce matériel et le plancher... Brady risqua sa vie à plusieurs reprises plutôt que de se séparer de cet encombrant matériel. »

Certes, le photographe passa beaucoup de son temps à Washington pour diriger l'ensemble de l'opération, mais souvent il se rendait au front. Page opposée, on le voit en train de poser pour l'objectif *(tout à droite)* au quartier général d'un des généraux nordistes. La silhouette de Brady paraît assez insolite dans un tel cadre, du fait surtout de son feutre à larges bords qui, comme le dira un journaliste, ressemblait au chapeau « d'un étudiant parisien. »

Les photographies prises par les collaborateurs de Brady connurent une très large diffusion mais, en dépit de leur impact en tant que documents sur la guerre, leur vente ne permit pas, et de loin, de couvrir les frais de l'entretien de cette petite armée de photographes. Bien que la faillite le menaçât de plus en plus clairement à mesure que les opérations se prolongeaient, Brady persista dans son entreprise jusqu'à la fin et il réussit même à persuader le chef des armées sudistes, le général Robert E. Lee, de poser devant l'objectif d'un de ses assistants après la reddition d'Appomattox.

Mathew Brady (à droite), photographié par un de ses assistants en compagnie du général Robert B. Potter et de son état-major, vers 1863

Une célèbre chronique de la guerre : suite

Parades et heures d'ennui dans les camps

TIMOTHY H. O'SULLIVAN : *La garde du quartier général (114e Zouaves), armée du Potomac, Culpeper, Virginie,* vers 1863

Le procédé de la plaque au collodion humide exigeant un temps de pose de 6 à 10 secondes et interdisant de prendre des sujets en mouvements, ce qui aurait rendu floue la photographie, les photographes de la guerre de Sécession profitaient généralement des pauses entre deux actions. Ils tirèrent partie de cet inconvénient pour capter l'aspect des camps nordistes, pour photographier les rassemblements sur les champs de bataille des soldats et pour étudier leurs passe-temps. Bien que monotone, la vie dans les camps possédait souvent un petit côté glorieux. Plusieurs formations portaient le nom de Zouaves, les hommes de la compagnie présentée ci-dessus arboraient des turbans blancs, des tuniques bleues et des pantalons rouges. Ces troupes conservèrent leurs uniformes en dépit des conséquences dangereuses de ces couleurs trop visibles.

Quartier général du camp de la Cavalerie d'Oneida, armée du Potomac, 1865, par un photographe inconnu ; reproduit avec l'autorisation de la New York Historical Society.

Une célèbre chronique de la guerre : suite

La sombre vérité des batailles

ALEXANDER GARDNER : *La batterie B du Premier Régiment d'Artillerie légère de la Pennsylvanie, Petersburg, Virginie,* 1864

Au cours de la guerre de Sécession, les photographes opérant sur le front se rendaient souvent sur les champs de bataille pour saisir avant l'engagement le côté impressionnant des préparatifs et ensuite les affreuses visions d'après la bataille. Prendre des photographies comme celle qui est présentée ci-dessus était assez dangereux, même si de part et d'autre on n'avait pas encore ouvert le feu. Un jour, tandis que Brady en personne surveillait la prise d'une photographie d'une batterie avec les canonniers à leur pièce, un veilleur sudiste décela cette activité militaire et fit déclencher un tir de barrage. Brady continua tranquillement son travail, tandis que la terre était labourée alentour. Durant un bombardement similaire, un autre photographe installa son appareil à même le fond de l'entonnoir creusé par un projectile. Comme un officier s'en étonnait, le photographe eut un large sourire pour lui répondre : « Deux coups ne tombent jamais au même endroit, mon capitaine ! »

Les photographes de Brady rapportèrent aussi des images d'hommes moins fortunés comme ce fantassin *(page opposée)* gisant près d'un dispositif de pieux pointus. Ces photos causèrent un grand choc dans le public. Quelqu'un eut ce commentaire : « Brady ne dénature jamais les faits. »

MATHEW BRADY (ou un de ses assistants) : *Soldat sudiste mort, Petersburg, Virginie,* 1865

Une célèbre chronique de la guerre : suite

Après la bataille

Les photographes de la guerre de Sécession prirent souvent pour thème la mort ou les destructions, bien que des photographies moins pénibles à regarder fussent d'une meilleure vente : généraux héroïques posant sur le front des troupes, rassemblements de soldats en formation, ces jeunes venus de leurs lointains foyers et se tenant encore bien droits au garde à vous, avec les canons des fusils étincelants au soleil. A mesure que les armées nordistes balayaient le Sud, les photographes eurent l'occasion de glaner des images de destruction, telle cette photo prise à Richmond par Alexander Gardner d'un moulin incendié. La vue des terribles ravages provoqués par la guerre attrista tant les gens du Nord que ceux du Sud. Lorsqu'il eut l'occasion de contempler quelques photographies des champs de bataille prises par Brady, Oliver Wendell Holmes, un médecin écrivain (qui pratiquait la photo en amateur) s'empressa d'écrire : « Ces photos constituent un véritable commentaire de la civilisation que le sauvage ne montrerait pas sans un accent de triomphe à son missionnaire. » □

ALEXANDER GARDNER : *Ruines du moulin de Gallego, Richmond, Virginie,* 1865

Le « Grand Tour » en images

Au XIXe siècle, voyager et visiter les pays étrangers n'était à la portée que des personnes très riches. Ceux qui restaient confinés chez eux s'intéressaient au monde en se plongeant dans des livres, en consultant des dessins, mais, parce qu'elle représentait la « réalité », la photographie apporta de nouvelles et attrayantes dimensions à leurs perspectives. Comprenant qu'il existait une clientèle avide et un marché des photos de voyage, des éditeurs plus entreprenants que les autres chargèrent des émissaires experts en l'art de manier l'objectif de leur ramener des vues des cités européennes les plus célèbres, voire d'exotiques merveilles comme le Kremlin *(à droite).*

Les sédentaires amateurs de voyages imaginaires acquirent par millions ces photos sous forme d'épreuves pour les coller dans les livres, ou de plaques en verre pour leurs projections de « lanterne magique » dans les écoles, les églises, les salles de conférence. Cependant, la forme la plus populaire de ces images de voyage fut sans conteste ces vues stéréoscopiques tridimensionnelles, dont le réalisme constituait une merveille pour l'ère victorienne. Aux États-Unis, vers 1870, il y avait dans presque toutes les villes des magasins qui vendaient des vues stéréoscopiques d'une riche sépia, montées sur un gros carton. Ces vues stéréoscopiques étaient vendues le plus souvent par séries, qui fournissaient à l'acquéreur un tour complet d'une ville, Paris par exemple, ou d'un pays comme l'Écosse ou la Palestine. Les éditeurs publiaient des catalogues complets des vues mises en vente et faisaient de la publicité dans les journaux. «Pour les vacances», proclamait un très important éditeur dans un placard très classique, « nous venons de recevoir une sélection aussi nouvelle qu'exquise... la crème de la production des marchés de Londres et de Paris ! » En adressant une simple commande par lettre, n'importe qui pouvait contempler chez lui les hauts lieux de la civilisation.

ROGER FENTON : *Dômes de la cathédrale de la Résurrection, le Kremlin, Moscou,* 1852

Des vues romantiques de pays lointains

Pour prendre cette vue si paisible de la petite ville suisse d'Interlaken, au cœur des Alpes, Adolphe Braun, un des premiers grands spécialistes de la photographie de voyage, utilisa un appareil panoramique, qui lui permettait, du haut d'une proche colline, d'adopter un large champ de prise de vues. Ce fut là une des photos les plus difficiles à prendre de tout son reportage photographique. Transporter un appareil volumineux, les produits chimiques nécessaires, la tente indispensable au développement, sans compter les autres accessoires demandait déjà des efforts assez pénibles lorsque le terrain n'était pas accidenté, mais opérer en Suisse constituait une autre affaire. Pour prendre quelques photos du haut du mont Blanc, Braun dut s'attacher les services de quinze guides et de porteurs. Il passa trois jours en altitude et ne tira au total que cinq plaques. Le voyageur sédentaire pouvait, quant à lui, se délecter d'une de ces photos si laborieusement prises par Braun pour la modique somme d'un quart de dollar.

ADOLPHE BRAUN : *Interlaken,* vers 1868

Le « Grand Tour » en images : suite

Des photos d'un monde révolu

PHOTOGRAPHE INCONNU : *Vue de Rome prise du Monte Pincio,* vers 1862

Bien que Rome et la civilisation romaine eussent connu leur déclin un millénaire plus tôt, et même davantage, pour tous les voyageurs du XIXe siècle, y compris ceux qui voyageaient du fond de leur fauteuil, la cité demeurait le lieu à voir. Les photographes qui s'intéressaient à cette ville avaient tendance à braquer leurs objectifs sur les glorieux vestiges architecturaux. La vue du Colisée évoquait avec force les chrétiens et les lions, celle du Forum suscitait des visions de Sénateurs portant la toge et gouvernant le monde. La Grèce et la Terre Sainte avaient, à l'exemple de Rome, une place toute particulière dans le cœur des voyageurs parce que leur sol rappelait de riches et anciennes cultures. Pour les Américains, encore attelés à la tâche de forger une nation sur une terre vierge, même de simples vues comme celle de ces maisons bourgeoises d'Hambourg présentées ci-contre, étaient évocatrices : elles leur rappelaient leurs traditions.

G. KOPPMAN & CO : *Maisons au bord d'un canal, Hambourg, Allemagne,* 1884

Surprenante remontée du Nil

Pour nombre de voyageurs du XIXe siècle, l'Égypte était la principale attraction du « Grand Tour », ne serait-ce que parce que ce périple leur permettait de dire nonchalamment qu'ils avaient vu Le Caire, les Pyramides et le Sphinx. Cependant, rares étaient les privilégiés qui avaient eu l'occasion d'apercevoir les merveilles essaimées plus haut sur le Nil, du moins avant que Francis Frith n'eût fixé leurs images sur les plaques au collodion humide et ne les eût ramenées en Angleterre.

Pour exécuter son reportage photographique sur la vie le long de ce majestueux fleuve *(à droite)* et sur les temples de la vallée du Nil, Frith en remonta le cours ; il voyageait dans un véhicule qui lui servait de chambre noire et de logement ; une toile à voile blanche, formant tenture au-dessus du toit, l'abritait du soleil. Ce « véhicule particulièrement insolite et mystérieux », écrira plus tard Frith, « amena la population égyptienne à faire un grand nombre de spéculations très ingénieuses sur son emploi. Toutefois, l'idée qui semblait la plus raisonnable consistait à croire que là-dedans... avec le plus grand soin et un louable sens de mes droits, je transportais... mon harem d'un endroit à un autre ! Cette façon de voir me valut d'ailleurs autant de respect que de considération. »

Ce qui se déroulait en fait à l'intérieur du chariot prouvait à tout le moins la patience de Frith. Pour satisfaire un marché à la demande de plus en plus diversifiée, les sites étaient le plus souvent photographiés successivement avec trois appareils différents : l'un stéréoscopique, le second standard (20 × 25 cm), le troisième de très grandes dimensions et utilisant des plaques de 40 × 50 cm. Dans sa chambre noire ambulante, le thermomètre marquait jusqu'à 55 °C et à plus d'une reprise le collodion se mit à bouillir lorsque Frith le versait sur ses plaques. Cependant, les photographes d'Égypte connaissaient une demande insatiable ; aussi Frith entreprit-il un second, puis un troisième voyage. Au cours de l'été 1859, il remonta le Nil plus haut qu'aucun photographe ne l'avait fait avant lui, plus haut même que la plupart des grands voyageurs ; il dépassa la cinquième chute, située à près de 2 500 km du delta. Les résultats spectaculaires de ses trois voyages furent publiés en sept volumes différents. □

FRANCIS FRITH : *Assouan, Égypte,* 1856

Des documents sur le mode de vie

L'appareil photographique était susceptible de fixer un événement important, de saisir une image romanesque et cette aptitude fut exploitée très tôt; en revanche, les photographes mirent plus longtemps à s'intéresser à la vie quotidienne, telle qu'on la vivait autour d'eux. Certains d'entre eux, John Thomson et Guiseppe Primoli, par exemple, utilisèrent l'objectif pour rendre compte de la vie quotidienne de la société; les archives photographiques qu'ils ont laissées derrière eux sont considérées comme inestimables aujourd'hui *(pages 90-93)*. Leurs travaux passèrent pratiquement inaperçus de leurs contemporains et ce n'est que récemment que l'on a découvert une réalisation particulièrement remarquable dans le domaine de l'analyse de la vie sociale; il s'agit de la description très détaillée que Ernst Höltzer a réalisée de la vie en Perse, à la fin du XIXe siècle.

Höltzer, un ingénieur allemand, participait, en vertu d'un contrat signé en 1863, à la construction d'une ligne télégraphique à travers la Perse, entreprise partiellement subventionnée d'ailleurs par l'Angleterre afin d'améliorer les liaisons avec les Indes et de faciliter l'ouverture de nouveaux marchés ainsi que la découverte de nouvelles sources de matières premières. Höltzer comprit que le pays subirait de profondes métamorphoses.

Ayant épousé une Arménienne, il s'installa d'une façon permanente en Perse et, en 1870 et 1880, il se passionna pour la photographie en tant qu'amateur. Il consacra ses heures de loisir à fixer, grâce à l'objectif, tout ce qui l'entourait et, non sans un certain universalisme, il photographia indifféremment les puissants personnages politiques et les grands criminels enchaînés au fond des prisons d'état *(page opposée)*. Il prit également de nombreuses notes sur les coutumes, les métiers, la législation et les multiples autres aspects de ce pays qui était devenu le sien. Cependant, Höltzer ne chercha à aucun moment à exploiter ce travail que lui dictait son engouement pour la Perse.

En 1963, un siècle après que l'ingénieur se fut installé en Perse, sa petite-fille ramena en Allemagne plusieurs coffres contenant les affaires de son grand-père et les entassa au fond d'une cave, qui fut inondée à la suite de l'éclatement d'un tuyau. Une fois les coffres ouverts, on découvrit que l'ingénieur avait eu la précaution de les faire doubler de zinc. Ils contenaient plusieurs milliers de négatifs sur plaques de verre, en parfait état de conservation et qui constituaient de précieuses archives d'une grande sensibilité, reportage extrêmement fouillé sur tout un mode de vie.

ERNST HÖLTZER : *Détenus politiques enchaînés dans une prison d'État,* vers 1880

L'objectif fixe les subtilités d'une société à son crépuscule

ERNST HÖLTZER : *Le Gouverneur de la province d'Ispahan et son fils,* vers 1880

La construction de la ligne télégraphique amena Höltzer à visiter toute la Perse, de la frontière russe au golfe Persique. Pendant un certain temps, il crut que la population vivait dans un désordre social proche du chaos. Les émeutes et les vols faisaient partie des événements quotidiens et apparemment le Shah n'exerçait qu'un pouvoir lointain sur les autorités locales. « La Perse avance, écrit-il, comme quelque rêveur pris de boisson, et que je dois me contenter de regarder grimacer. » Cependant, à mesure qu'il apprenait à mieux connaître la population, Höltzer prit conscience de la dignité des Perses et de l'ordre social, qui avait permis à leur société de survivre depuis des siècles.

Le Gouverneur à gauche, photographié en compagnie de son fils, a une allure vraiment seigneuriale et les Persanes que présente la page suivante font montre d'une grande réserve et d'une détermination pleine de sévérité qui n'ont rien d'affecté. Pour réaliser ces photographies particulièrement révélatrices, Höltzer dédaigna d'utiliser les artifices auxquels faisaient appel les photographes portraitistes de son époque. Le plus souvent, ceux-ci faisaient poser leurs sujets — les travailleurs comme les personnages de la haute société — dans le décor surchargé de leurs studios. En photographiant ses modèles, soit dans un cadre naturel, soit sans fond artificiel, Höltzer réussit à saisir quelques-unes des plus délicates nuances de la société persane d'alors.

ERNST HÖLTZER : *Une religieuse, une femme et un enfant,* vers 1880

Les hommes au travail dans la Perse ancienne

L'extrême diversité des activités des Perses aurait pu mobiliser les énergies de toute une armée d'observateurs étrangers ; abattant une tâche incroyable, Höltzer réussit à étudier toutes les facettes de la vie persane et son objectif saisit aussi bien les gardes du Gouverneur en train de vérifier leur adresse au tir *(à droite)* que le simple barbier à l'œuvre *(page opposée).* Non content de photographier tous ces aspects divers de la vie en Perse, il rédigea un certain nombre d'études statistiques. Ainsi, il note par exemple que la province d'Ispahan, dans laquelle il vivait, comptait : « 1 456 teinturiers, 35 relieurs, 10 architectes, 10 artisans spécialisés dans la fabrication des sacoches de selle pour les âniers, 200 esclaves de sexe féminin originaires d'Abyssinie et 350 belles servantes blanches. »

Même les athlètes et les amuseurs n'échappèrent pas à son minutieux bilan photographique. Pratiquement, dans toutes les villes de la Perse, il existait une place sur laquelle, leur journée de travail finie, les hommes venaient faire de la musculation ou des mouvements de gymnastique traditionnelle ; ils s'attardaient à regarder les athlètes professionnels s'entraîner avec de lourds boucliers et autres accessoires d'haltérophilie *(page suivante).* Omniprésent, l'objectif de Höltzer observa toutes ces scènes d'autrefois et le préserva ainsi pour la postérité. □

ERNST HÖLTZER : *Les gardes du corps du Gouverneur,* vers 1880

ERNST HÖLTZER : *Un barbier persan et son client,* vers 1880

ERNST HÖLTZER : *Gymnastes persans,* vers 1880

La pellicule moderne 4

EVELYN HOFER : *Portrait composite faisant appel à trois pellicules de rapidités différentes: une Royal-X (rapide) pour le haut, une Plus-X (moyenne) pour le centre, une Panoramic-X (lente) pour le bas,* 1969

Le fonctionnement et la nature de la pellicule

Les progrès que connurent, au cours des dernières années du XIXe siècle, les matériaux sensibles à la lumière eurent, dans le domaine de la photographie, un impact comparable à celui de l'automobile sur l'ensemble de la civilisation. Très certainement, le bond en avant que constitua le passage des lourdes plaques au collodion, aux bobines de pellicule, faciles à manier et produites en usine, fut aussi considérable que la substitution de l'automobile à la voiture attelée de chevaux; comme Henry Ford, George Eastman, le pionnier de la pellicule, veilla soigneusement à ce que le grand public pût suivre en toute hâte la marche du progrès. Dans leur genre, les premières pellicules étaient aussi lentes et d'humeur capricieuse que les premières automobiles; elles déjouaient les espoirs et les projets des photographes qui se risquaient à opérer sous un éclairage trop faible ou à prendre un objet se déplaçant trop rapidement. La technique corrigea vite leurs défauts. Aujourd'hui, du point de vue de la sensibilité, du pouvoir séparateur et des autres caractéristiques, les pellicules modernes sont d'une supériorité écrasante par rapport à leurs ancêtres.

Leurs principes fondamentaux n'ont pas varié depuis la fin du XIXe siècle. La lumière est captée par les minuscules cristaux d'un composé chimique, le bromure d'argent (contenant généralement quelques traces d'iodure d'argent). Ces cristaux sont enrobés dans une couche de gélatine transparente obtenue à partir de débris d'os et de peaux et cette couche, ou émulsion, est apposée en une fine couche sur un mince support en plastique. Ces caractéristiques ne datent pas d'aujourd'hui, mais les pellicules actuelles enregistrent la lumière avec bien plus d'efficacité que celles d'autrefois. Durant des années, les fabricants n'ont pas réussi à comprendre pourquoi des jeux de pellicules présentant tous les mêmes caractéristiques, quant aux cristaux de bromure d'argent, se révélaient de sensibilité extrêmement variable. Apparemment, la gélatine qui enrobait les cristaux était responsable de ce mystère. En fin de compte, il devint évident que l'aptitude de la pellicule à enregistrer la lumière dépendait avant tout, aussi curieux que cela pût paraître, du régime de l'animal dont les os et les peaux avaient servi à la fabrication de la gélatine. Par rapport à celles des animaux nourris différemment, les peaux provenant des troupeaux pâturant dans des prés contenant de la moutarde des champs fournissaient une gélatine donnant des films particulièrement sensibles. En 1925, les recherches permirent de déterminer que l'élément majeur en provenance du régime alimentaire était une huile contenant du soufre provenant de la moutarde des champs. Par la suite, les fabricants apprirent qu'il existait bien d'autres composés chimiques qui affectaient la sensibilité des films. De nos jours, ces composés sont obtenus par synthèse et on ajoute des petites quantités bien déterminées à l'émulsion afin d'obtenir des pellicules d'une sensibilité uniforme.

Un autre facteur conditionne la sensibilité de la pellicule; il s'agit de la dimension des cristaux de bromure d'argent. Une émulsion à grands cristaux a besoin de moins de lumière pour donner une image qu'une émulsion à petits cristaux. Une haute sensibilité étant toujours désirable, on pourrait croire à priori que les fabricants auraient intérêt à ne produire que des émulsions à grands cristaux; malheureusement, ceux-ci présentent un désavantage: plus ils sont grands et plus l'image obtenue est pauvre. Une émulsion à gros cristaux très sensible produira une image granulaire mouchetée et dont la finesse de résolution laissera à désirer. Les fabricants offrent donc à la clientèle un certain choix. Le photographe peut préférer une pellicule très sensible mais granulaire, ou une pellicule à grain très fin, peu sensible, à moins qu'il ne se rabatte sur une pellicule dont les qualités sont l'objet d'un compromis. Il n'est pas encore possible de fabriquer des pellicules parfaites du point de vue de ces deux caractéristiques ; certaines productions sont presque idéales et combinent une très grande sensibilité à une remarquable absence de granulation. De nos jours, les fabricants contrôlent avec tant de précision les dimensions des cristaux de bromure d'argent qu'il leur est possible de produire des pellicules présentant exactement les qualités souhaitées.

Actuellement, une pellicule est d'habitude définie par sa sensibilité, évaluée d'après l'échelle ASA, un système numérique adopté par l'American Standards Association, qui classe les pellicules selon la quantité de lumière nécessaire à l'obtention d'une image normale. Les nombres élevés signifient que le photographe n'a besoin que d'un faible éclairement (ou peut utiliser une vitesse d'obturation plus élevée pour écourter le temps d'action de la lumière). Pour plus de commodité, l'industrie de l'équipement photographique classe souvent la production en pellicules lentes, moyennes ou rapides, ces trois catégories se répartissent respectivement dans les gammes 20 à 50, 100 à 200 et 400 à 1 250 de l'échelle de degrés ASA.

Tout naturellement, les photographes recherchent la simplicité et préfèrent adopter pour toutes leurs photos un seul genre de pellicule, le type moyen ou rapide. Un choix trop limité peut être insuffisant mais, avec deux types différents — une pellicule lente et à grain fin et une rapide —, on pourra obtenir de bons résultats, quel que soit le sujet ou presque. Il est souvent contre-indiqué de choisir une pellicule rapide lorsqu'il n'est pas indispensable d'arrêter un mouvement ou de tirer parti d'un faible éclairage ; en effet, la pellicule lente engendre généralement une image aux lignes plus nettes et moins granuleuses. En fait, les différences de résultat peuvent être très importantes.

Dans ce choix, il y a lieu de prendre en considération d'autres facteurs que la sensibilité ou la granulation. Certaines pellicules sont plus sensibles que d'autres à telle ou telle couleur. Les premières pellicules réagissaient principalement aux ondes lumineuses courtes ; celles d'aujourd'hui contiennent des colorants qui sensibilisent les cristaux de bromure d'argent aux ondes lumineuses longues ; elles enregistrent l'ensemble du spectre. Cependant, la mesure dans laquelle leur action se calque sur notre perception en noir et blanc de l'ensemble du spectre est variable. Les progrès techniques ont même permis de rendre certaines d'entre elles sensibles à des ondes électro-magnétiques que l'œil ne voit pas ; ainsi, les films Polaroïd à développement instantané fournissent des effets uniques.

Dans ce domaine, la technique a progressé considérablement ; la rapidité a été accrue, la granulation diminuée et la sensibilité à la couleur améliorée pour couvrir l'ensemble du spectre. Des problèmes qui se posaient jadis aux fabricants ont trouvé des solutions. Aujourd'hui, la couche sensible contient des colorants empêchant sur l'image la formation de halos autour des points de haute lumière. Les fabricants devront sans doute prochainement s'attaquer aux nouveaux problèmes que poseront les futures pellicules d'un genre très révolutionnaire. De nos jours, l'argent se fait rare et, cette matière première étant de plus en plus coûteuse, de nombreux laboratoires de par le monde s'efforcent de mettre au point des moyens d'enregistrer les images sans faire appel aux divers composés chimiques de ce métal. Les savants espèrent améliorer suffisamment la xérographie — ce procédé d'impression utilisé par les photocopieurs électrostatiques — pour qu'elle puisse donner des images pleines d'objectivité. D'autres chercheurs envisagent avec optimisme l'emploi des bulles d'azote pour remplacer l'argent dans la formation des images. Des changements sont certainement en vue, mais il sera difficile néanmoins de surpasser en qualité les pellicules d'aujourd'hui.

Le fonctionnement et la nature de la pellicule : suite

L'obtention d'une image argentique

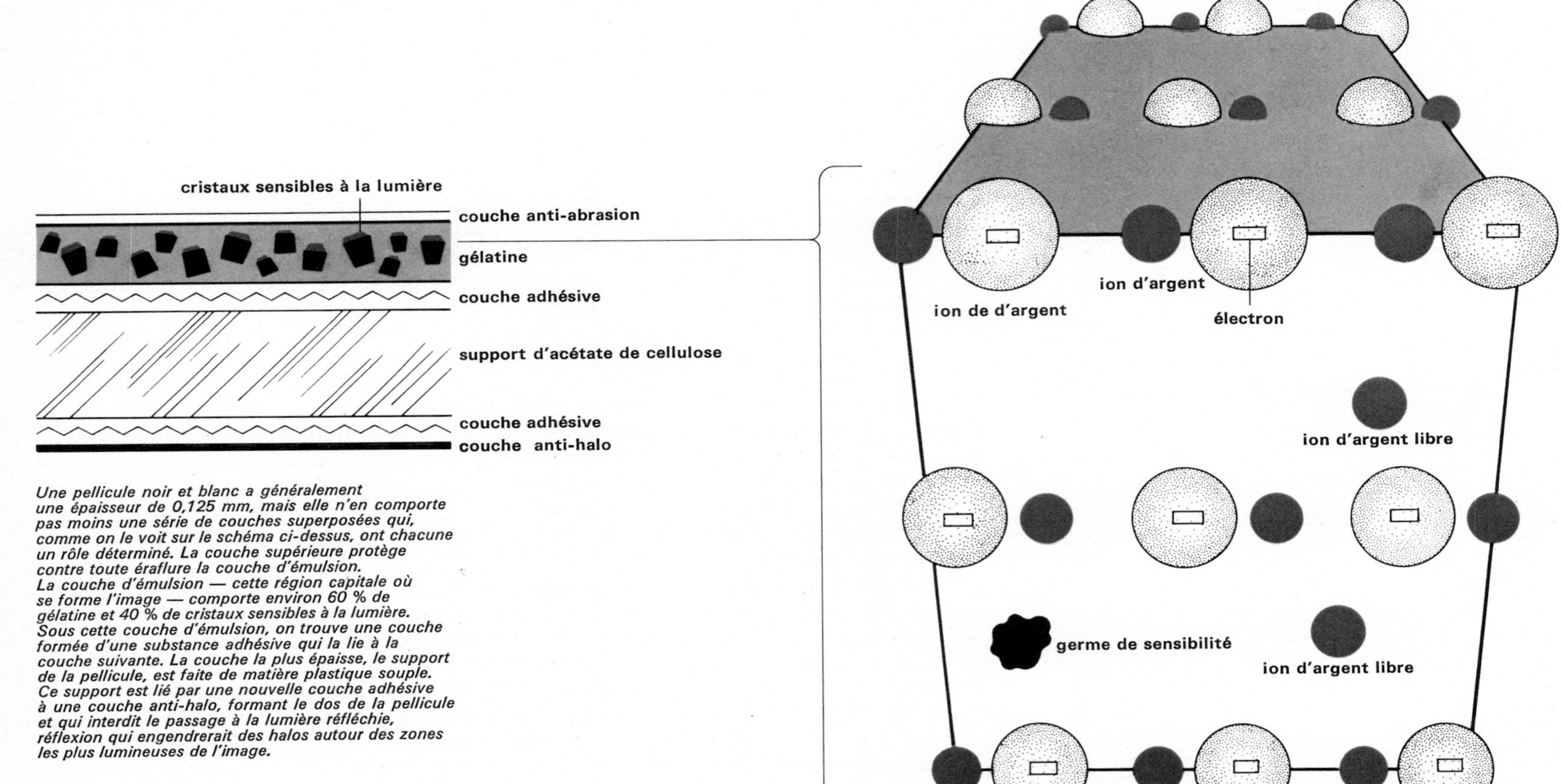

Une pellicule noir et blanc a généralement une épaisseur de 0,125 mm, mais elle n'en comporte pas moins une série de couches superposées qui, comme on le voit sur le schéma ci-dessus, ont chacune un rôle déterminé. La couche supérieure protège contre toute éraflure la couche d'émulsion. La couche d'émulsion — cette région capitale où se forme l'image — comporte environ 60 % de gélatine et 40 % de cristaux sensibles à la lumière. Sous cette couche d'émulsion, on trouve une couche formée d'une substance adhésive qui la lie à la couche suivante. La couche la plus épaisse, le support de la pellicule, est faite de matière plastique souple. Ce support est lié par une nouvelle couche adhésive à une couche anti-halo, formant le dos de la pellicule et qui interdit le passage à la lumière réfléchie, réflexion qui engendrerait des halos autour des zones les plus lumineuses de l'image.

Un cristal de bromure d'argent (ci-dessus) a une structure cubique ; les atomes d'argent (petites boules noires) et les atomes de brome (grosses boules blanches) conservent leurs places respectives grâce aux forces de cohésion électrostatiques. Ces atomes sont des ions qui possèdent des charges électroniques. Chaque ion de brome possède un électron supplémentaire (petit rectangle) par rapport à l'atome de brome neutre, et a donc une charge négative. Chaque ion d'argent a un électron de moins que l'atome d'argent neutre et possède donc une charge positive. L'objet de forme irrégulière que renferme le cristal représente un germe de sensibilité. En réalité, chaque cristal contient de nombreuses impuretés de ce genre, qui sont indispensables au processus de formation de l'image. (représenté schématiquement ci-contre à droite.)

Le processus qui conduit à la création d'une image sur un petit morceau de la pellicule fait intervenir une remarquable réaction de la lumière dans les cristaux répartis dans la couche de gélatine de l'émulsion. La thèse la plus couramment adoptée veut que la réaction soit amorcée dès l'instant ou un cristal — 1 millionième de millimètre de diamètre — se trouve frappé par la minuscule quantité de lumière représentée par deux photons. (Par seconde, une lampe-éclair émet un million de milliards de photons.) Chaque cristal est composé d'argent et de brome dont les atomes ont des charges électriques; ces particules, ou ions, sont maintenus dans une construction cubique par des forces de cohésion électrostatiques. Si sa structure était vraiment parfaite et ne présentait aucune irrégularité, ce cristal ne réagirait pas à la lumière. Cependant, en règle générale, dans un cristal, un certain nombre d'ions d'argent sont disposés irrégulièrement; ils sont libres de se déplacer et de participer à la création d'une image. Un cristal contient également des impuretés (par exemple des molécules de sulfure d'argent), dont le rôle est capital, car elles permettent de capter l'énergie lumineuse.

Comme on peut le voir sur le schéma de la page opposée, une impureté — ou germe de sensibilité — et les ions d'argent libres conjugent leurs efforts, lorsque le cristal est frappé par la lumière, et construisent une petite série d'atomes d'argent métallique neutres. Ce petit élément métallique est l'amorce de ce que l'on appelle l'image latente; il est trop petit pour qu'on puisse le voir, même avec le plus puissant des microscopes. Cependant, lorsque les produits chimiques du développement entrent en action, ils utilisent ce germe d'argent de l'image latente, que contient le cristal après exposition, et qui agit à la façon d'un véritable crochet; le reste de l'argent contenu dans le cristal s'attache à ce germe pour former l'image.

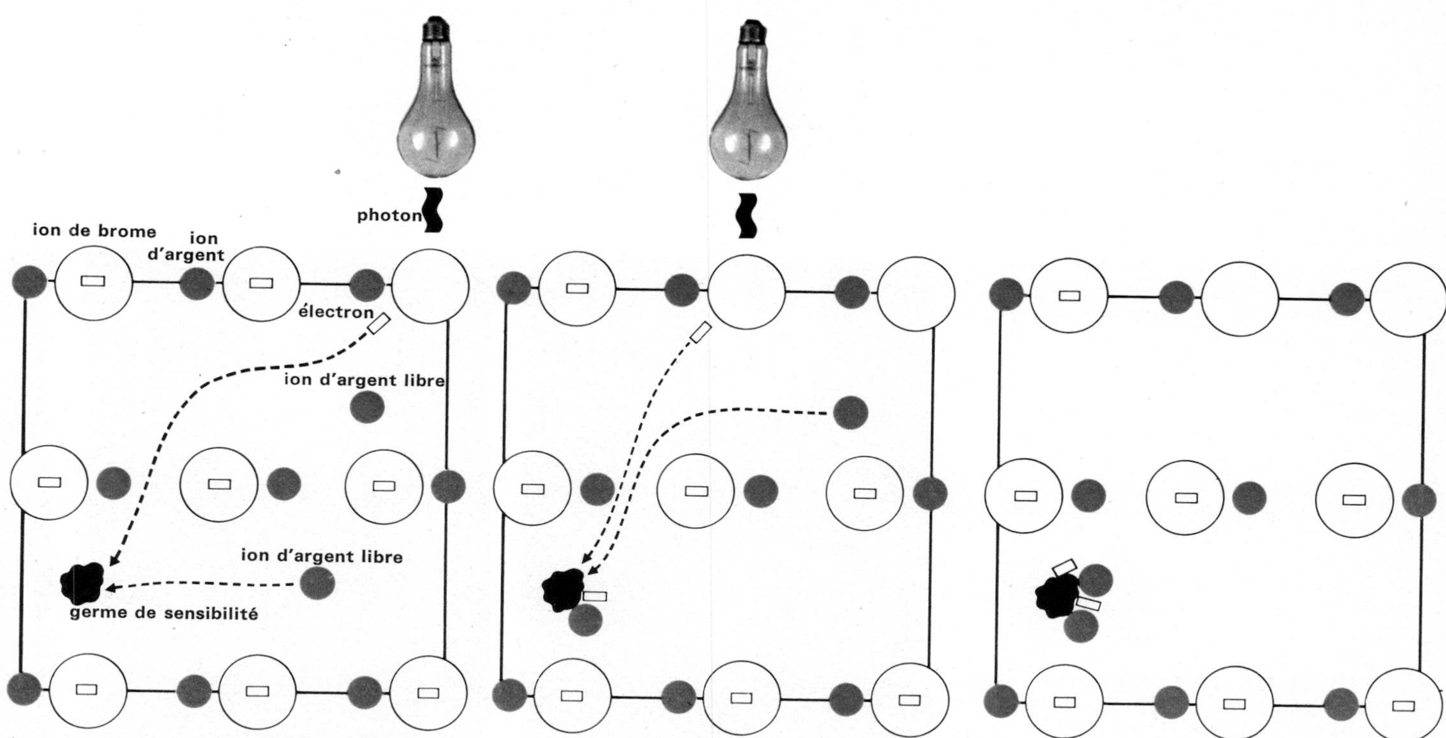

Lorsqu'un photon percute un cristal de bromure d'argent, la formation de l'image s'amorce. Le photon cède son énergie à l'électron supplémentaire de l'ion de brome, qui est projeté à un niveau d'énergie supérieur. Dès lors, l'électron chargé négativement parcourt au hasard la structure du cristal jusqu'à ce qu'il percute un germe de sensibilité. A ce stade, du fait de sa charge négative, il attire un ion d'argent libre chargé positivement.

A mesure que d'autres photons viennent percuter d'autres ions de brome du cristal, ils libèrent d'autres électrons et des quantités supplémentaires d'argent viennent s'agglutiner aux germes de sensibilité. Les électrons s'associent aux ions d'argent, équilibrant leurs charges respectivement négatives et positives, et engendrent des atomes d'argent métallique. Toutefois, si l'on pouvait examiner le cristal à ce stade, on n'y discernerait aucun changement.

La présence d'un certain nombre d'atomes d'argent métallique, se regroupant au point marqué par un germe de sensibilité, engendre l'image latente, site invisible présentant des propriétés chimiques d'où s'amorce la réaction qui transforme au cours du développement l'ensemble du cristal en argent. Cette petite modification chimique engendrée, par l'énergie lumineuse est magnifiée dans des proportions considérables par le révélateur et ce processus produit l'image photographique visible.

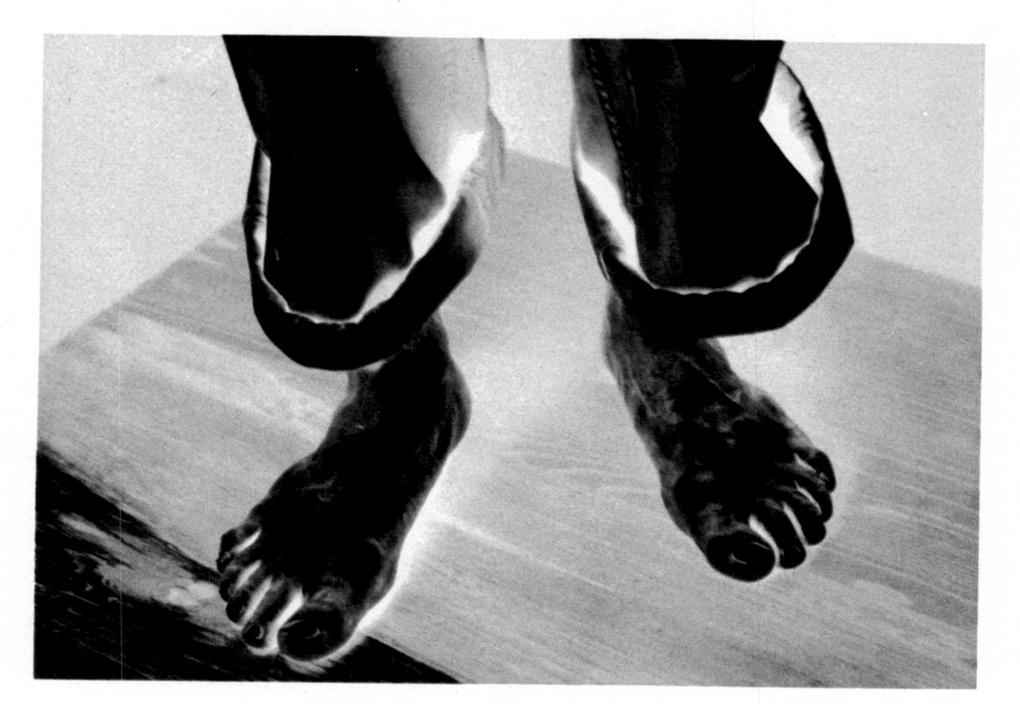

Dès que le révélateur a transformé en argent métallique des millions de cristaux après exposition, il y a création du négatif. L'image saisie par l'appareil se trouve enregistrée et sur la pellicule les régions qui ont reçu une grande intensité lumineuse sont assombries par la présence d'argent métallique, tandis que celles qui n'ont pas été éclairées demeurent transparentes après traitement, puisqu'elles ne contiennent pas d'argent. Les régions intermédiaires, dans lesquelles se sont amassées des quantités variables d'argent, présentent des nuances de gris qui dépendent de la quantité de lumière reçue par la pellicule, mais aussi de la couleur de cette lumière de la nature de la pellicule et de la façon dont l'exposition a été assurée.

Une réponse caractéristique à l'action de la lumière

Les photos présentées à droite, qui ont toutes été prises avec la même ouverture et la même vitesse d'obturation, illustrent apparemment un truisme de la photographie : l'accroissement du flux lumineux atteignant la pellicule entraîne un accroissement proportionnel de l'intensité de noircissement du négatif. A mesure qu'augmente le nombre de lampes de l'éclairage de la tête du Bouddah, l'intensité de noircissement s'accroît. Il ne s'agit là que d'un principe fondamental de la photographie, la raison pour laquelle les ombres nous paraissent sombres et la neige blanche sur une photo. La densité d'une image *ne* s'accroît *pas* toujours proportionnellement à l'intensité lumineuse lorsque l'exposition est totale. Ce fait influe sur le résultat de la photo.

La réponse de n'importe quelle pellicule peut être déterminée grâce à sa « courbe caractéristique », qui montre comment varie et croît l'intensité de noircissement en fonction de l'intensité lumineuse. Le graphique ci-dessous représente la courbe de noircissement de la pellicule 32 ASA, utilisée pour la prise des photos de ces deux pages. Dans sa partie centrale, la courbe a une pente constante; pour une exposition comprise dans cette zone de valeur moyenne à chaque accroissement de l'intensité lumineuse correspond un accroissement proportionnel de l'intensité de noircissement. Pour obtenir une photographie satisfaisante, les grandes intensités lumineuses (les hautes lumières) et les intensités les plus faibles (les ombres) doivent tomber dans cet intervalle moyen d'exposition.

Si le réglage de l'objectif et de l'obturateur ne permettent que l'admission d'une quantité trop faible de lumière, la pellicule réagira comme l'indique la partie inférieure du graphique. Il y a sous-exposition; les détails sont perdus car, pour des intensités lumineuses faibles, la pellicule ne sait pas distinguer entre le sombre et le lumineux. Si la pellicule se trouve surexposée *(partie à l'extrême droite du graphique)*, les détails sont également perdus.

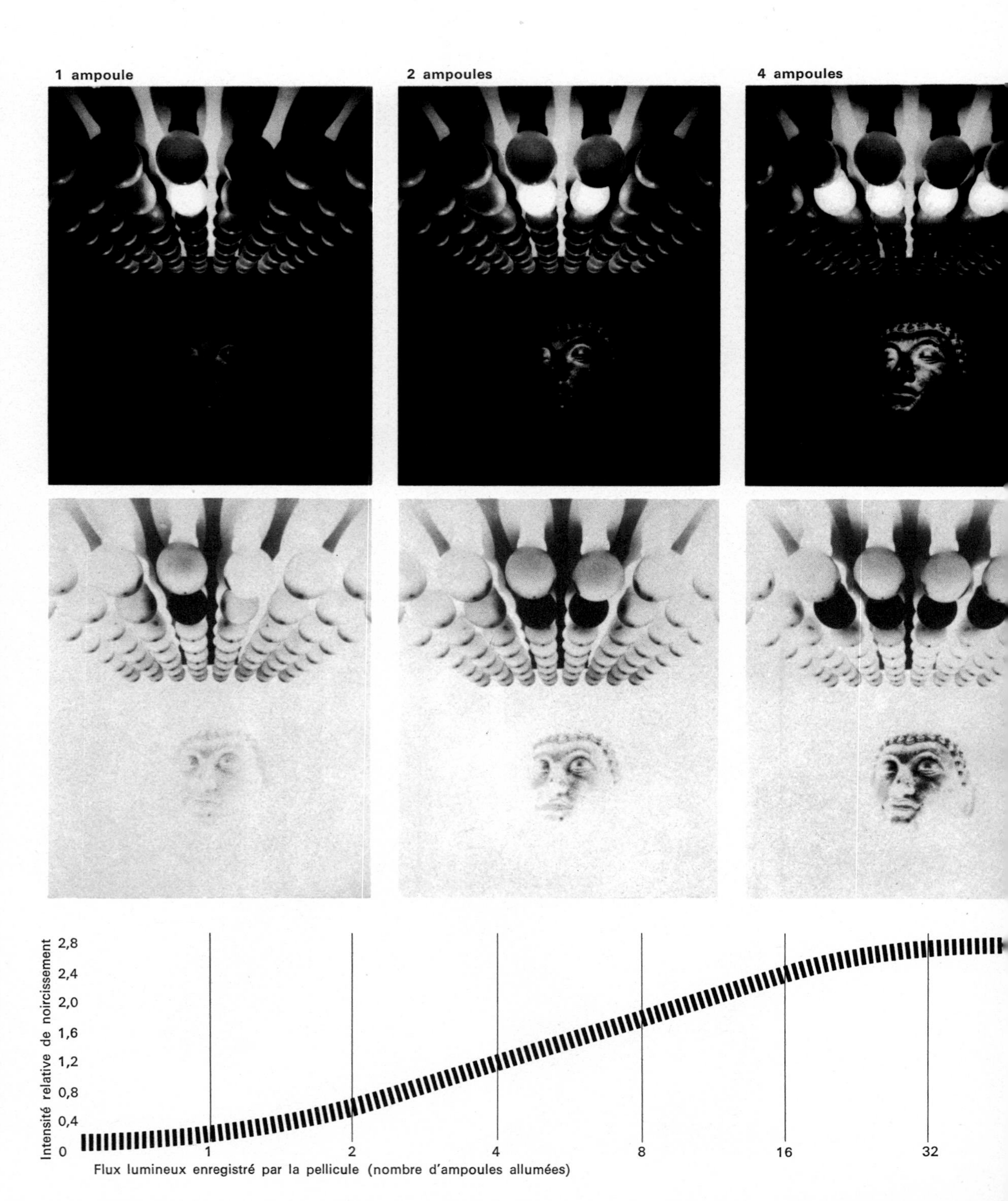

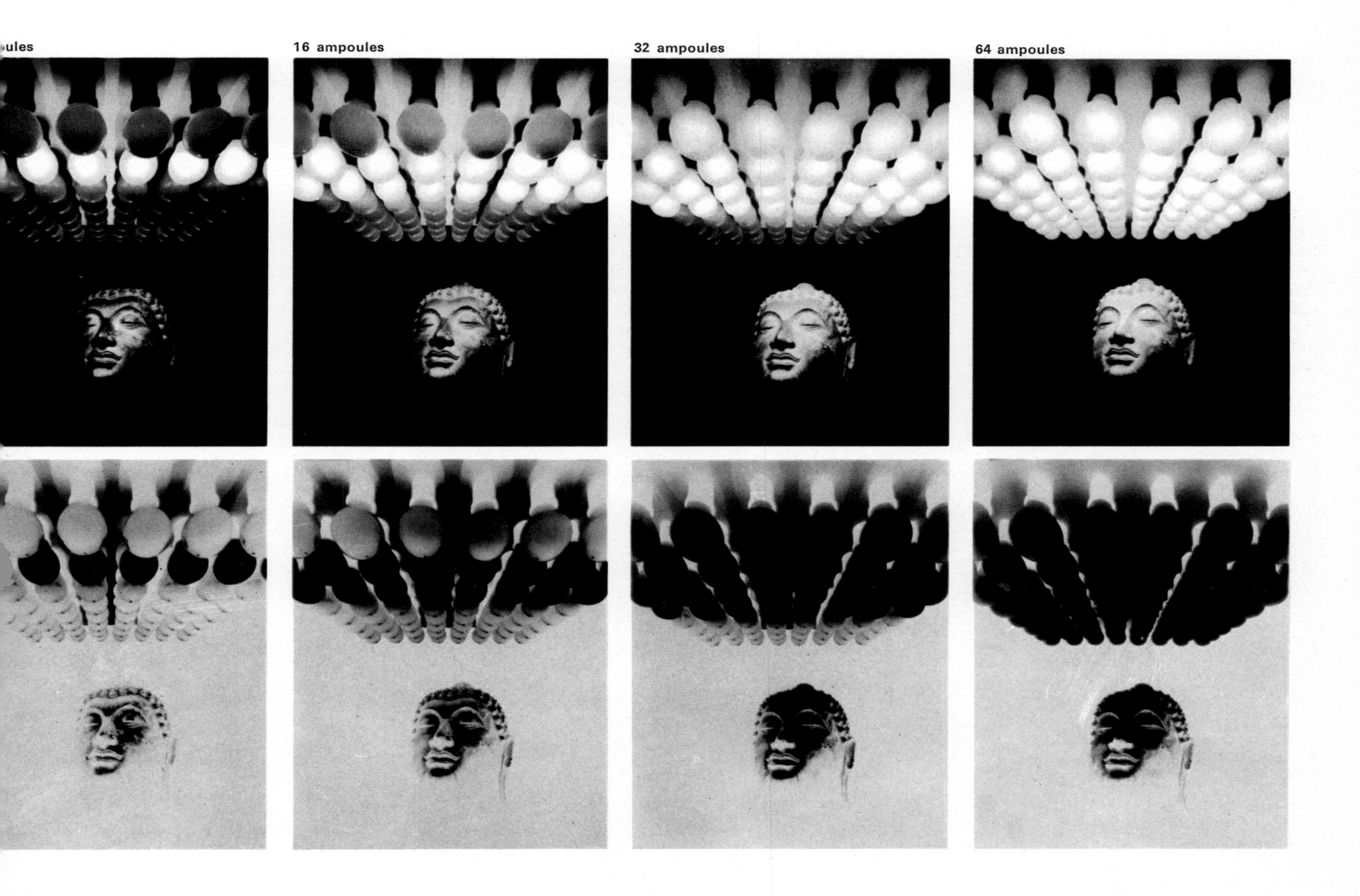

ules
16 ampoules
32 ampoules
64 ampoules

La granulation

Lorsque l'on aborde le double problème de la rapidité et de la granulation, on peut dire que la pellicule reprend d'une main ce qu'elle donne de l'autre. Plus une pellicule est rapide, plus grande est sa granulation. La granulation est d'autant plus visible que l'agrandissement de la photo est important. De son fait, les teintes grises ne ressortent pas en nuances douces, mais en petites mouchetures. Ce moutonnement a également pour effet de supprimer les détails. Les pellicules à grands cristaux de bromure d'argent ont un grain plus gros que les pellicules à petits cristaux parce qu'une fois développées, elles contiennent des parcelles d'argent plus importantes. (En fait, la granulation résulte d'une distribution inégale des particules d'argent et de leur chevauchement.)

Cependant, une haute sensibilité (ou rapidité) *est* souhaitable et, à ce point de vue, les pellicules à grands cristaux donnent de meilleurs résultats. Ce phénomène s'explique : pour former une image latente, la même quantité de lumière suffit à un grand ou à un petit cristal mais, après développement, le grand cristal contiendra davantage d'argent métallique. Ce supplément d'argent assure à la pellicule sa plus grande rapidité.

Cet étroit rapport entre la rapidité et la granulation se voit clairement sur les photos d'un pare-brise de camion présentées ci-dessous; elles ont été prises respectivement avec des pellicules lentes 32 ASA, moyennes 125 ASA, très rapides 1250 ASA. De toute évidence, chaque accroissement de la rapidité impose une pénalisation sous forme d'une augmentation de la granulation. La conclusion est facile à tirer : le photographe qui veut une netteté maximale et une granulation minimale doit choisir la pellicule la plus lente possible, compte tenu des conditions d'éclairage et du mouvement de son sujet.

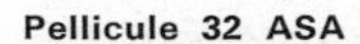

Pellicule 32 ASA

Pellicule 125 ASA

Les agrandissements des photos présentées ci-dessous permettent de voir comment la granulation croît en fonction de l'accroissement de la rapidité de la pellicule. La lettre « G » (immédiatement ci-dessous) demeure nette en dépit de l'agrandissement, parce que la photo a été réalisée à l'aide d'une pellicule lente et à grain fin. Un certain moutonnement et un évident manque de netteté sont décelables pour la lettre du milieu, dont la photo a été réalisée avec une pellicule moyenne 125 ASA. La lettre de droite, que donne une pellicule rapide 1250 ASA, est très tachetée et ses bords manquent de netteté.

Pellicule 1250 ASA

La sous-exposition et ses conséquences

Les photographes sont souvent obligés de sous-exposer les photos qu'ils prennent ; l'éclairage peut être insuffisant, la nécessité de saisir une action rapide peut imposer une grande vitesse d'obturation, enfin la volonté d'obtenir une grande profondeur de champ peut exiger l'adoption d'une petite ouverture. Généralement, les pellicules en noir et blanc modernes peuvent supporter de fortes sous-expositions, ce qui parfois est bénéfique pour certaines régions de la photographie.

Si un photographe sous-expose volontairement une photographie, il « surévalue » la pellicule ; en fait, il attribue à sa pellicule une sensibilité qu'elle n'a pas et arbitrairement lui assigne un nombre de degrés ASA supérieur aux spécifications. Il choisit l'ouverture et la vitesse d'obturation en fonction de sa surestimation. Au développement, il faut compenser cette surévaluation. Le choix d'une trop forte rapidité entraînant une exposition inférieure à la normale, il est nécessaire d'allonger la durée du développement, afin d'obtenir la transformation en argent métallique d'un plus grand nombre de cristaux de bromure d'argent. Il s'agit là d'un processus classique et les fabricants de pellicules fournissent aux usagers des instructions sur la durée exacte de développement à adopter, compte tenu de la norme ASA de la pellicule.

Outre qu'il entraîne la nécessité d'une compensation au développement, le fait de surévaluer la rapidité d'une pellicule peut affecter dans une certaine mesure l'image obtenue — comme on peut le voir sur les trois photos reproduites ci-contre et toutes prises avec la même pellicule rapide à 400 ASA, mais employée normalement dans le premier cas et surestimée respectivement à 800 et à 1200 ASA dans le second et le troisième cas.

On peut également utiliser une pellicule en sous-estimant sa véritable rapidité ; l'opération est tout indiquée lorsqu'on photographie une scène dans laquelle les ombres jouent un rôle particulièrement important. D'habitude, un genre spécial de révélateur est utilisé pour compenser cette surexposition voulue.

Le vase contenant des roses (ci-dessus) a été photographié avec une pellicule rapide 400 ASA, employée normalement. Le négatif ayant reçu la quantité exacte de lumière prévue par le fabricant, les détails ressortent très bien, même dans la région peu éclairée entre les fleurs.

Si on surestime cette même pellicule en l'utilisant dans les conditions prévues pour une rapidité 800 ASA, autrement dit en réduisant la quantité de lumière qui l'impressionne, les fleurs se détachent moins nettement les unes des autres. Toutefois, la photo n'a pas perdu sur tous les plans ; les ombres qui se détachent sur le dessus de table sont plus sombres et la photo acquiert plus de relief.

En adoptant pour cette même pellicule le chiffre de 1200 ASA, la photographie perd beaucoup de sa netteté au sein des roses, ce qui d'ailleurs ne va pas sans un autre gain, comme précédemment ; le fait de réduire l'exposition a permis de mettre en valeur la texture du dessus de table blanc, qui se trouvait légèrement surexposé dans la photographie prise à un taux normal de rapidité.

Comment la pellicule en noir et blanc voit la couleur

Sensibles à la lumière, les cristaux de bromure d'argent ne réagissent pas de la même façon aux diverses longueurs d'onde du spectre. Ce fait est responsable d'un paradoxe : lorsqu'on prend une photo en noir et blanc, il y a lieu de tenir compte des couleurs, qui chacune possède sa longueur d'onde. Les divers genres de pellicules réagissent différemment à la couleur *(voir les trois photos à droite).*

A moins d'un traitement spécial, les cristaux de bromure d'argent ne réagissent qu'aux ondes lumineuses courtes (de l'ultraviolet au bleu-vert). La photographie franchit cet écueil en 1873; H.W. Vogel ajouta un colorant qui permit d'étendre la réponse de la pellicule jusqu'à la gamme des verts et des jaunes. En vertu d'un processus encore mal connu, le colorant en question absorbe ces longueurs d'onde légèrement plus longues et transfère leur énergie aux cristaux de bromure d'argent. Ce genre d'émulsion est connu sous le nom d'émulsion orthochromatique et il est surtout utilisé aujourd'hui pour obtenir des reproductions de photos en noir et blanc.

D'autres colorants permettent à la pellicule d'enregistrer toutes les couleurs. Ce type de pellicule panchromatique est d'un emploi pratiquement universel pour la photographie courante. Toutefois, la réponse de cette pellicule aux diverses couleurs n'est pas uniforme; elle est plus sensible aux ondes lumineuses courtes (gamme des bleus) qu'aux ondes lumineuses plus longues (gamme des rouges). A moins de compenser par des filtres ce déséquilibre *(pages 176-178)* sur la photo, un ciel bleu paraîtra trop lumineux, une pomme rouge sera sombre et même les feuilles vertes sembleront moins claires qu'elles ne le sont en réalité.

On a également mis au point des colorants spéciaux, permettant à la pellicule de réagir aux ondes invisibles de la gamme des infrarouges, en même temps qu'à toutes les ondes visibles; les résultats *(extrême droite)* sont étranges mais parfois d'une grande beauté.

Sur une photo réalisée avec une pellicule orthochromatique, quelques-uns des fruits et des légumes présentés ci-dessus adoptent des teintes plus sombres que celles que leur assignerait l'œil humain ; en fait, la pellicule n'a réagi qu'aux plus courtes des ondes lumineuses — échelonnées du côté du violet dans le spectre de la lumière (ci-dessus) — et elle est demeurée insensible aux couleurs de la gamme des rouges. La pomme, l'orange et le piment rouge (en haut à droite) et l'oignon rouge (en bas à gauche) nous semblent de valeurs anormalement sombres.

Avec une pellicule panchromatique, les teintes rougeâtres présentent une apparence un peu plus naturelle, parce que la pellicule réagit à presque toutes les couleurs que capte l'œil, depuis le rouge jusqu'au violet et jusque dans la gamme des ultraviolets (ci-dessus). L'œuf paraît plus blanc que sur l'image obtenue avec une pellicule orthochromatique, parce qu'au mélange des couleurs réfléchies est venue s'ajouter l'énergie lumineuse des ondes plus longues.

Les pellicules pour l'infrarouge enregistrent les ondes correspondant à des couleurs visibles, mais aussi quelques ondes plus longues invisibles pour l'œil humain. Bien que la plupart des objets naturels aient un puissant pouvoir réfléchissant en ce qui concerne les infrarouges, il n'existe pas de relation déterminée entre la couleur d'un objet et la quantité de rayons infrarouges réfléchis. Sur la photo ci-dessus, seuls l'avocat et les champignons ne réfléchissent que peu les infrarouges et, en conséquence, ils semblent plus sombres que les autres objets.

Le procédé Polaroïd

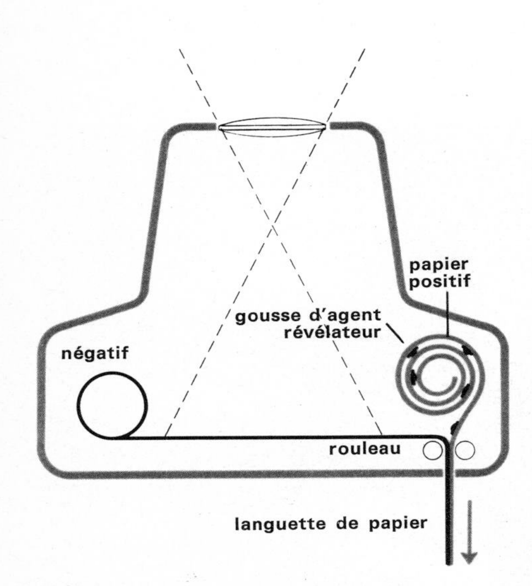

Certains appareils Polaroïd sont chargés de deux bobines distinctes, comportant l'une la surface négative, l'autre le papier d'impression ; ceux-ci sont attachés à une unique languette. L'impression du négatif se fait par manœuvre de l'obturateur, comme dans tout appareil normal. On tire ensuite sur la languette, ce qui entraîne tant le négatif pelliculaire que le papier d'impression et les fait passer entre deux rouleaux en acier avant leur sortie de l'appareil. La pression exercée par les rouleaux écrase la gousse contenant une gelée chimique, qui est répandue sur le papier d'impression, et le processus du développement se trouve dès lors amorcé à l'intérieur du sandwich. Un peu plus de 10 secondes plus tard, le positif est détaché du négatif pelliculaire et laisse apparaître la photo parfaitement terminée.

En 1947, lorsque Edwin Land lança son appareil photographique à « prendre et à tirer une photo en une minute », un important négociant en matériel photographique le rejeta sous le prétexte qu'il s'agissait d'un gadget qui ne tiendrait pas plus d'un an. Il est rare qu'on se trompe aussi totalement. Vingt ans plus tard, 14 millions d'Américains possédaient des appareils Polaroïd et la Polaroïd Corporation était devenue la deuxième société américaine de production de matériel photographique. Tirant parti d'un processus de traitement unique en son genre, ce gadget avait été perfectionné et produisait des photos de haute qualité en 10 à 20 secondes.

Dans le processus normal, la pellicule subit une exposition dans l'appareil photographique et est ensuite développée afin de donner un négatif. Les épreuves positives sont alors obtenues en chambre noire par projection de lumière à travers le négatif et impression d'une seconde émulsion soit le papier d'impression sensible, qui est ensuite développé à son tour. Le film Polaroïd Land est une pellicule qui contient à la fois l'émulsion négative et le papier d'impression. Une fois l'image saisie par l'objectif, le négatif et le positif se trouvent étroitement liés en sandwich ; l'image se trouve transférée du négatif au positif, moins sous l'action de la lumière que sous celle des produits chimiques disposés sur la pellicule. L'image positive se forme grâce aux cristaux de bromure d'argent *non exposés* du négatif, qui dans le cas d'une pellicule ordinaire auraient tout simplement disparu au cours du fixage après son traitement.

Le dispositif mécanique du sandwich négatif-positif de l'appareil Polaroïd est détaillé sur cette page et les illustrations de la page opposée présentent le processus chimique du transfert de l'image. Le procédé Polaroïd réalise essentiellement un laboratoire en miniature, tout équipé et d'une haute efficacité ; on le tient en main quelques secondes et on le jette après usage.

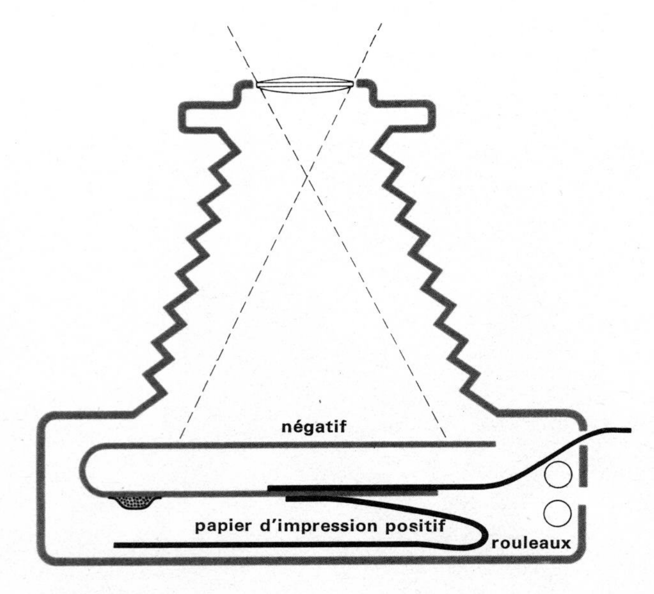

Pour faciliter le chargement, à présent les films Polaroïd sont vendus sous forme de « film-pack ». Il s'agit d'un boîtier contenant des surfaces positives et négatives réparties en feuilles à plat ; on enclenche simplement ce boîtier dans le corps arrière de l'appareil photographique. Pour prendre une photo, en premier lieu on expose le négatif (figure ci-dessus). Pour qu'il puisse ensuite être associé correctement au papier d'impression il y aura lieu de le retourner ; le photographe réalise cette opération en exerçant une traction sur une languette blanche (ci-dessous).

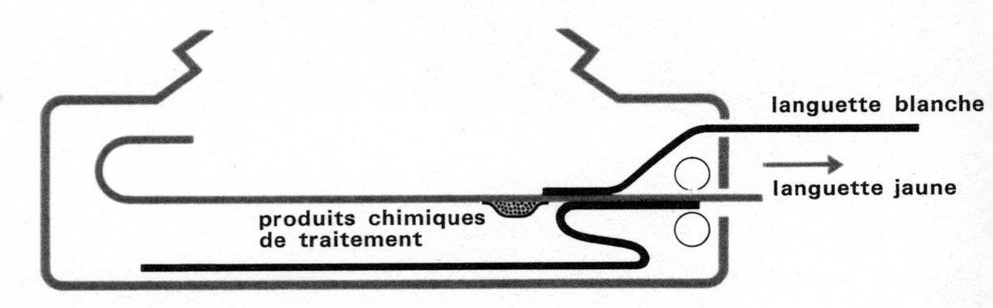

En tirant la languette blanche, on renverse le négatif sens dessus dessous et on l'approche des rouleaux en acier (le papier positif n'a encore subi aucun déplacement). On tire ensuite sur la languette jaune, ce qui oblige le négatif et le positif à passer entre les rouleaux qui écrasent la gousse (ci-dessous). Les substances chimiques se trouvent réparties uniformément entre le négatif et le positif ; il y a développement et fixation de l'image.

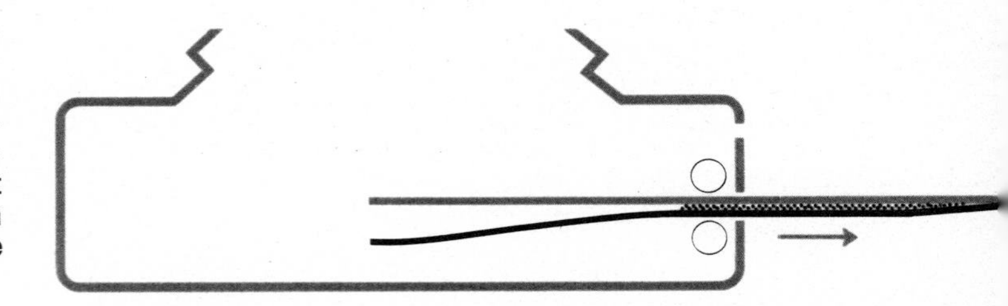

Lors du développement d'un film Polaroïd Land, les cristaux du négatif impressionnés par la lumière sont réduits de la façon habituelle en argent métallique. Mais la solution de traitement contient aussi un agent de report, qui agit sur les cristaux non impressionnés. Cet agent de report, représenté par des pinces dans la figure ci-dessus, s'empare des ions d'argent d'un cristal non impressionné.

Cet ion d'argent du cristal non impressionné de l'émulsion du négatif est arraché puis transporté par l'agent de report du côté positif du sandwich. La distance entre la couche négative et la couche positive étant très faible et de l'ordre de 0,0005 mm, l'ion d'argent franchit cet intervalle pratiquement en ligne droite.

A la surface du papier positif, un agent récepteur (représenté par deux portes coulissantes formant trappe) agit comme catalyseur et débarrasse l'agent de report de l'argent ionique pour le transformer en même temps en argent métallique. Les millions d'atomes d'argent ainsi construits forment l'image positive.

Une vertu Polaroïd : rapidité sans granulation

Les performances du film Polaroïd Land sont aussi extraordinaires que l'est le processus par lequel l'image est obtenue. Alors que les pellicules habituelles comportent l'inconvénient d'une forte granulation lorsque l'impression s'effectue rapidement, il n'en est pas de même des films Polaroïd. Les illustrations présentées à droite soulignent ce comportement; ces photos ont été prises avec des films Polaroïd respectivement de 50 ASA, de 400 ASA et de 3000 ASA. L'absence de granulation est principalement due à l'étroitesse de l'intervalle entre le négatif et le positif du film Polaroïd. L'étroitesse de cette bande permet aux ions d'argent de voyager en ligne droite, de la surface négative à la surface positive ; l'agglomération au hasard de l'argent sous forme de grains se trouve donc réduite et du même coup la granulation est diminuée, la photographie ne perd rien de sa définition.

Parmi les films Polaroïd Land, la pellicule 50 ASA est unique en son genre, car elle fournit au photographe un négatif en même temps qu'un positif. (Dans le cas des autres films Polaroïd, on jette le négatif.) Toutefois, le développement du négatif est soumis aux mêmes lois que celui des autres genres de pellicules, autrement dit le grain augmente à mesure que croît la rapidité de la pellicule. Pour pouvoir produire un négatif à grain fin, la pellicule en question *doit* donc être lente. □

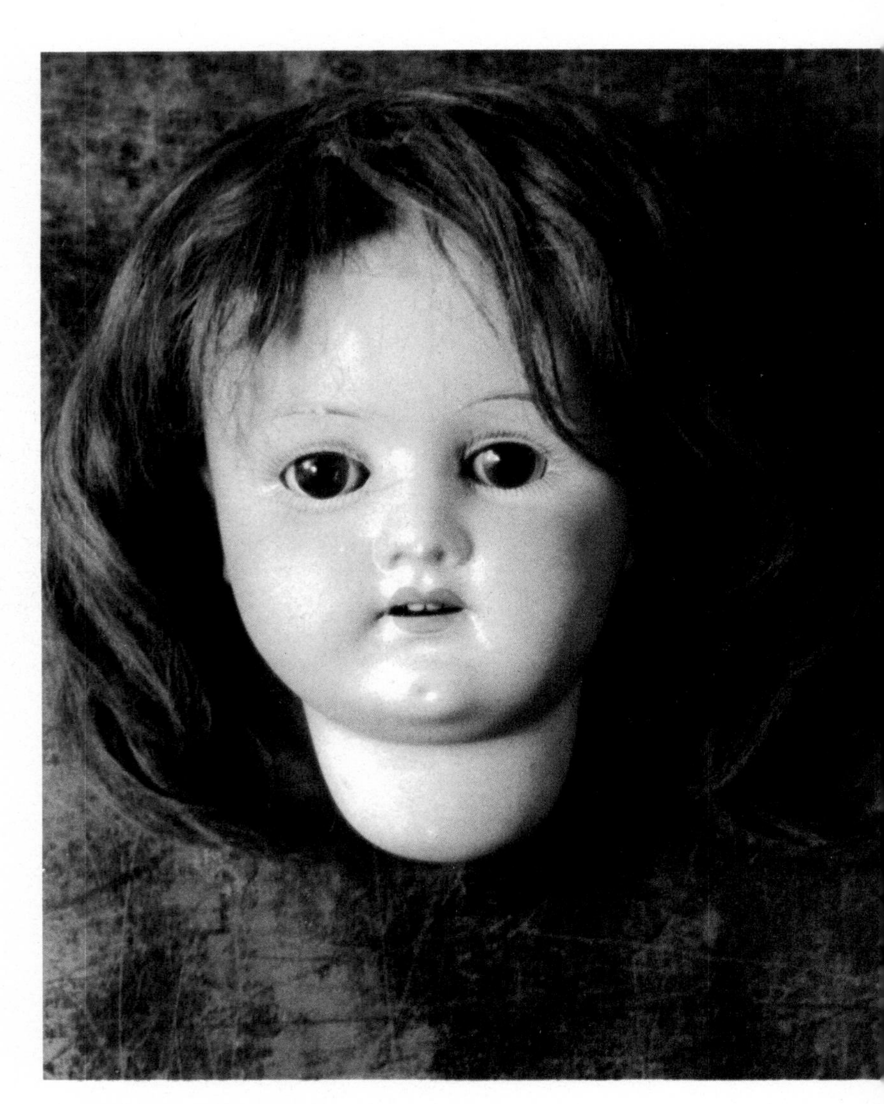

Le film Polaroïd Land 50 ASA fournit en 20 secondes une photo sans granulation et donne aussi un négatif, que le photographe peut utiliser et agrandir 25 fois. Dans le cas des autres films Polaroïd, un agrandissement n'est possible qu'en photographiant l'épreuve positive, afin d'obtenir un négatif susceptible d'être reproduit.

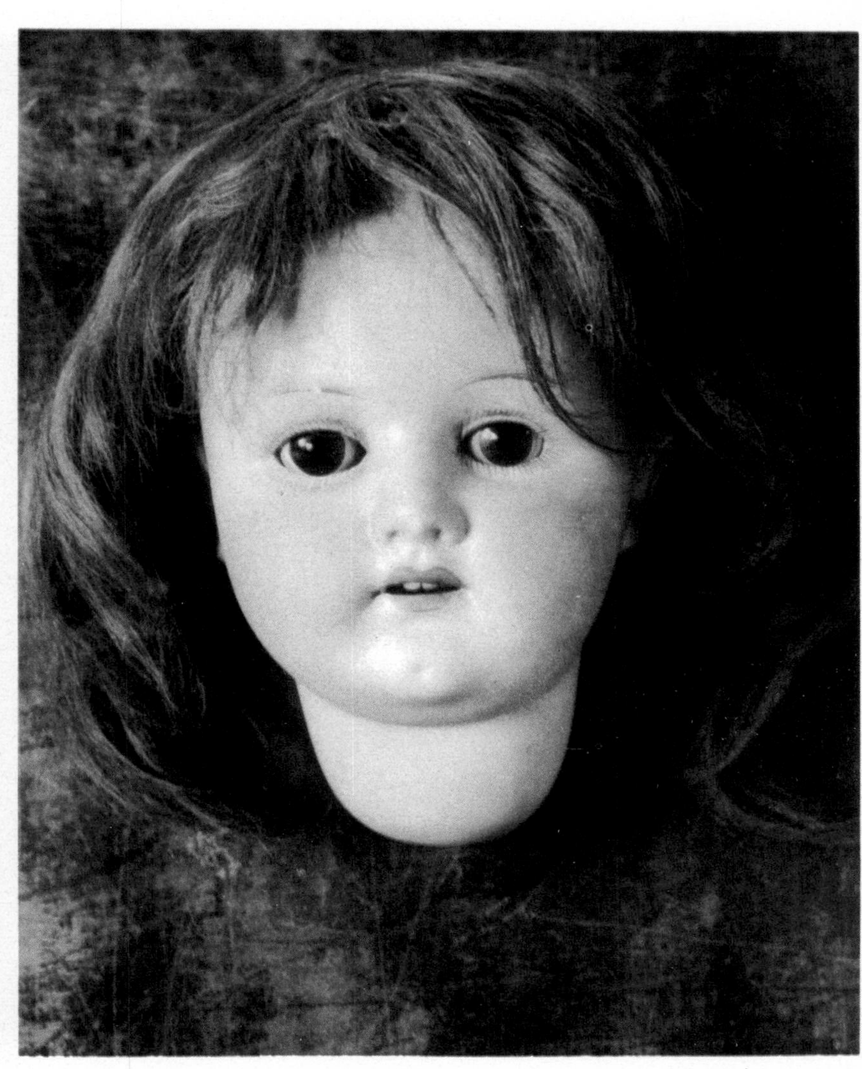

Le film Polaroïd Land 400 ASA à rapidité moyenne produit aussi une image pratiquement sans grain en 15 secondes ; l'emploi de cette pellicule est très recommandé dans la plupart des cas. De surcroît, bon nombre de professionnels utilisent cette pellicule pour la mise au point par exposition d'essai ; avant d'opérer avec des films ordinaires, ils prennent diverses photos Polaroïd du sujet, pour s'assurer que l'éclairage leur donne les résultats souhaités.

L'extraordinaire film Polaroïd Land 3000 ASA est remarquable, non seulement en raison de sa très grande rapidité, mais surtout parce que cette rapidité n'entraîne pas une diminution de la finesse de grain. De toute la gamme des films Polaroïd Land, cette pellicule est de beaucoup la plus employée. Elle donne en 15 secondes à température ambiante une épreuve positive 10 × 12,5 cm ; dans des conditions de température plus basse, pour obtenir une bonne image, un temps de développement plus long est nécessaire.

Le choix d'une pellicule en fonction du sujet

Chez de nombreux détaillants de matériel photographique, on trouve une vaste gamme de pellicules en noir et blanc, qui va de la pellicule lente de 20 ASA à la pellicule très rapide de 1250 ASA. Les pellicules rapides entraînant une certaine granulation, le photographe a intérêt à choisir la pellicule la plus lente possible, qui soit compatible avec l'éclairage envisagé.

Cependant, il n'est pas pratique d'employer une douzaine de pellicules de types différents et un tel arsenal n'est nullement nécessaire. Compte tenu des trois grandes catégories, lente, moyenne ou rapide, les photographes pour la plupart se rabattent sur une pellicule à rapidité modérée pour presque tous leurs travaux et emploient une 400 ASA. Cette simplification a été rendue possible par les progrès réalisés dans la limitation de la granulation et par la production de pellicules rapides de haute qualité comme la Kodak Tri-X, l'Ilford HP4 et l'Agfa-Gevaert Isopan-Ultra.

Le portrait de l'acteur Kirk Douglas *(page opposée)* montre quelle netteté du détail, quelle absence de grain on peut obtenir avec une pellicule rapide, en l'occurrence une Tri-X. La photo a été réalisée avec un appareil Hasselblad, par le photographe français Jean-Loup Sieff, particulièrement réputé pour ses photographies de mode. Limitant son ouverture à f/16 et opérant au 1/60e de seconde, il a fait appel à un flash électronique pour ajouter de la brillance aux régions les plus lumineuses du visage de l'acteur ; il obtient ainsi un extraordinaire gros plan sur lequel chaque pore de la peau, chaque poil de la moustache se détachent avec netteté, mettant en relief la personnalité de l'acteur.

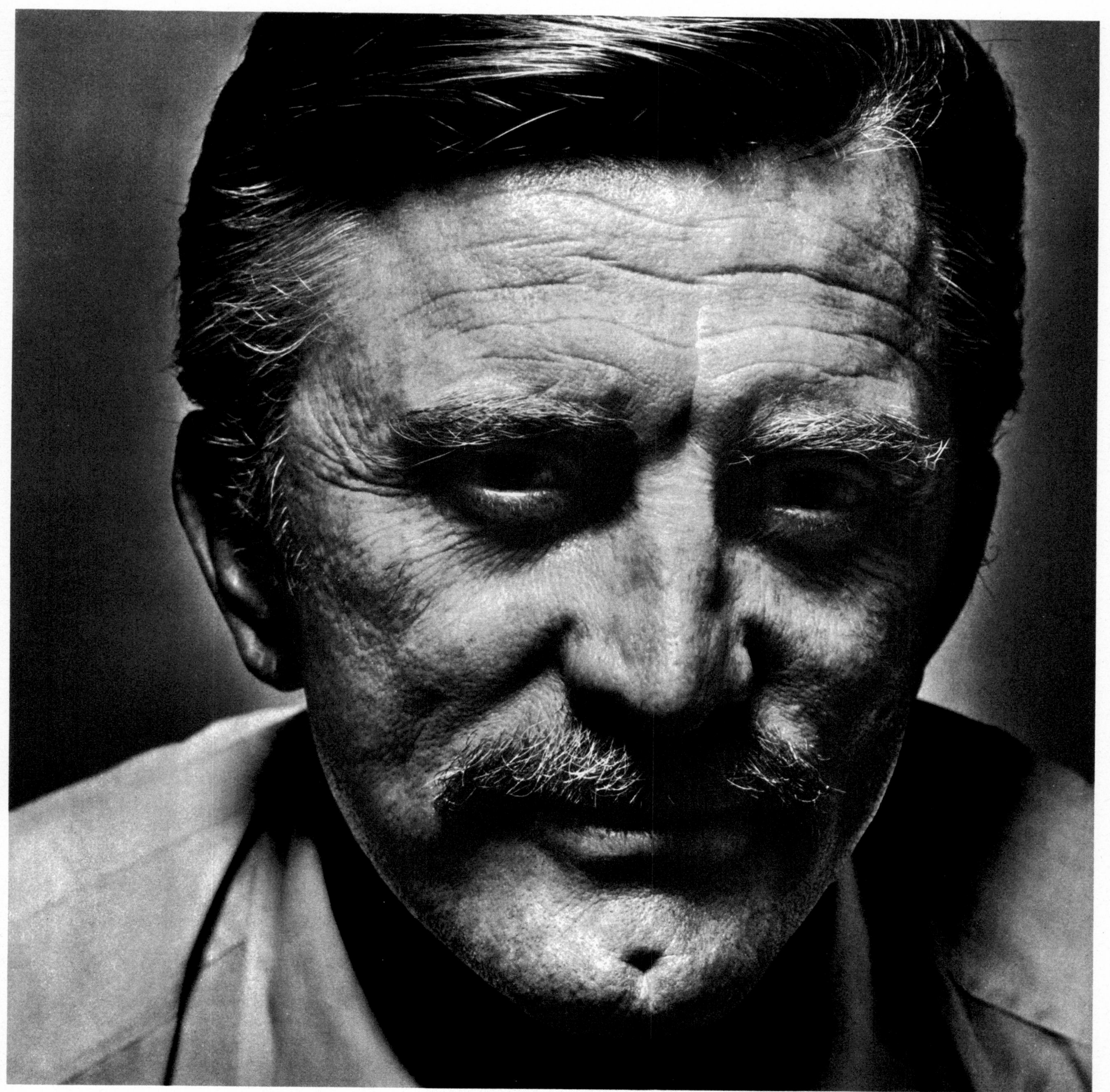

JEAN-LOUP SIEFF : *Kirk Douglas,* 1967

Quand la rapidité de la pellicule est un facteur essentiel

ROBERT LEBECK : *Funérailles du sénateur Robert Kennedy,* 1968

Les pellicules rapides modernes fournissent des images d'une grande netteté, mais de surcroît cette netteté s'obtient avec des éclairages qui, voici à peine quelques années, auraient été considérés comme désespérément insuffisants. Même si la sensibilité de la pellicule est très surestimée, et qu'elle ne reçoit qu'une quantité de lumière nettement inférieure à celle qui serait nécessaire pour respecter sa norme ASA, elle peut néanmoins donner une bonne image. Le photographe de presse allemand Robert Lebeck exploita cette caractéristique de la pellicule rapide lorsque, en juin 1968, il photographia les funérailles du sénateur Robert F. Kennedy, au cimetière national d'Arlington. Utilisant un objectif de 300 mm ouvert en grand et une vitesse d'obturation de 1/16e de seconde, il exposa son film Tri-X à 1000 ASA au lieu des 400 ASA normalement prévus. Dans

GARY RENAUD : *La bagarre des motos,* 1966

cette scène solennelle, Joseph Kennedy, le fils aîné du sénateur, conduit les porteurs du cercueil voilé de la bannière étoilée.

Les pellicules rapides sont susceptibles de se contenter d'un faible éclairage de la scène à photographier et, de même, elles peuvent fixer les mouvements à grande vitesse. Lorsque Gary Renaud photographia une course à motocyclette sur cendrée à Pepperell (Massachusetts), il lui fallut opérer au 1/500e de seconde pour figer les coureurs penchés en plein virage. La rapidité de la pellicule, jointe au fait que le soleil était éclatant ce jour-là, lui permit d'adopter une ouverture de f/11 afin d'obtenir une grande profondeur de champ. L'ouverture relative étant très faible, l'herbe, au premier plan, et les spectateurs de l'arrière-plan se détachent aussi nettement que les coureurs lancés à grande vitesse.

En tirant parti de la granulation

Lorsque leur texture est granuleuse, certaines photos acquièrent une beauté vaporeuse et mystérieuse. Du fait des larges dimensions de leurs cristaux de bromure d'argent, les pellicules rapides se prêtent mieux que les pellicules lentes à l'obtention de cet effet. (Notons que n'importe quel genre de pellicule peut produire des images granuleuses pour peu qu'on la traite convenablement lors du développement.)

Pour créer cette photo à grain apparent d'ouvriers changeant la lampe d'un réverbère près d'une église de Moscou, William Klein fit choix d'une pellicule rapide. Utilisant un objectif de 300 mm et un Pentax, il surexposa intentionnellement la pellicule. En surexposant un négatif, on accroît la quantité d'argent métallique qui s'y forme et la granulation devient plus apparente ; la surexposition permet à la lumière de pénétrer plus profondément dans l'émulsion et de rebondir au hasard sur les cristaux, accroissant encore la granulation. En surexposant et en agrandissant un négatif de 35 mm, on combine des effets qui donnent une texture à très gros grain. Transformés de la sorte, les bouquets de tours, de croix et les fioritures des lampadaires se muent en provocants échos d'une époque révolue, qui semblent franchir les vastes espaces du temps pour nous parvenir.

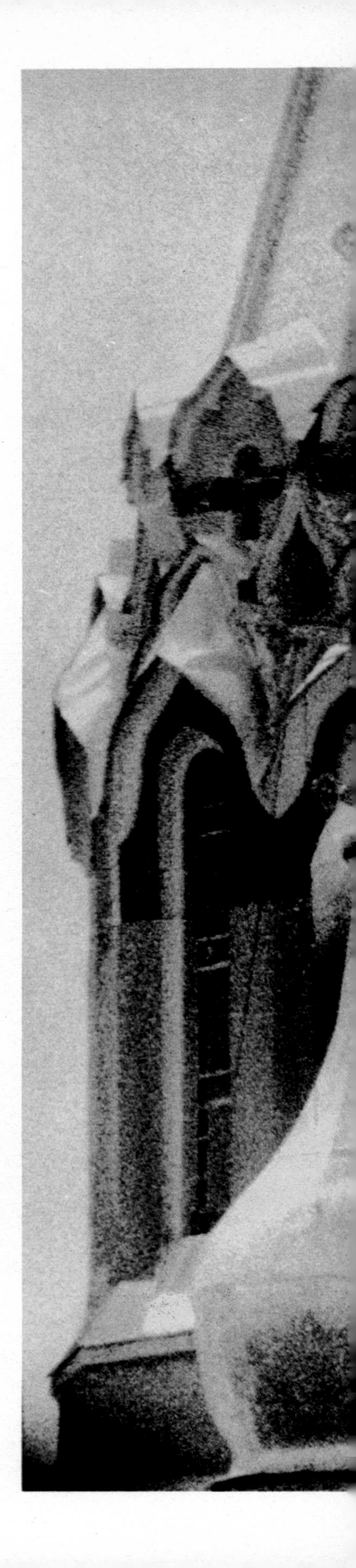

WILLIAM KLEIN : *Moscou,* 1961

Le choix d'une pellicule en fonction du sujet : suite

Les utilisations des pellicules à rapidité moyenne

Pour prendre des scènes aussi violemment éclairées que celle qui est présentée à droite, la pellicule rapide à tous usages présente des inconvénients. Afin d'obtenir cette photographie d'une dune palissadée de Jones Beach (État de New York), Melvin Ingber, un photographe indépendant, souhaitait opérer à contre-jour. S'il avait choisi une pellicule rapide, la photographie aurait sans doute été gravement surexposée, même en adoptant l'ouverture la plus petite et la vitesse d'obturation la plus grande possibles. Toutefois, une pellicule à rapidité moyenne (160 ASA) lui permet d'opérer en dépit de l'intense éclairage. Ingber utilisa une pellicule Plus-X et un appareil Nikon, avec une ouverture de f/8 au 1/250e.

En l'occurrence, désirant saisir les délicates nuances de gris de la scène, Ingber a bien fait de préférer une pellicule à rapidité moyenne à une pellicule plus lente. Les pellicules rapides ou à rapidité moyenne, qui conduisent à des contrastes moins violents que les pellicules lentes, sont plus indiquées lorsqu'il s'agit de photographier des scènes ou des sujets présentant de très brillantes zones lumineuses et de profondes ombres.

De toute évidence, la pellicule à vitesse moyenne ne doit pas servir uniquement à la photographie de scènes très vivement éclairées. Cette pellicule offre de nombreux avantages ; en règle générale, elle est susceptible de réagir sous tous les éclairages, sauf les plus pauvres, et de saisir les sujets animés de mouvements rapides ; de surcroît, elle possède un grain plus fin que la pellicule rapide. Notons, cependant, que les fabricants ne cessent d'améliorer le grain des pellicules rapides et, par voie de conséquence, il semble que la pellicule à rapidité moyenne verra son rôle s'amenuiser dans la photographie de demain.

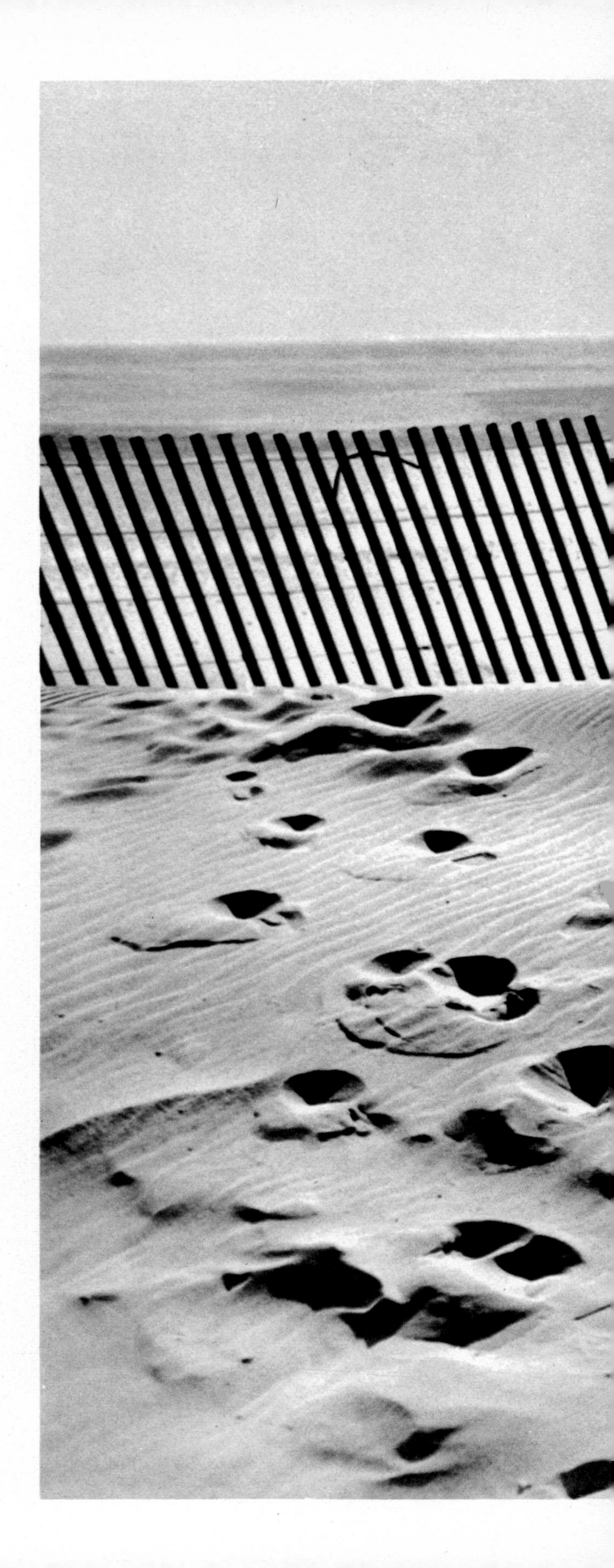

MELVIN INGBER : *Motifs de plage*, 1969

Le choix d'une pellicule en fonction du sujet : suite

La pellicule lente fournit un maximum de netteté

De nos jours, le vieux professeur est mal adapté au dynamisme et à la course tempétueuse du monde, mais ses collègues ne sauraient surpasser sa minutie ; dans le domaine de la photographie, la pellicule lente, avec des degrés ASA variant entre 20 et 50, présente ce même trait de caractère. Son aptitude à rendre les plus petits détails résulte de la petitesse de ses cristaux de bromure d'argent et de la finesse de la couche d'émulsion. (Les émulsions en fines couches réduisent la quantité de lumière qui rebondit parmi les cristaux, et qui a pour effet d'estomper les arêtes vives.) Ce genre de pellicule manque évidemment de rapidité parce que l'émulsion comporte un plus petit nombre de cristaux de bromure d'argent, qui du fait de leurs dimensions réduites contiennent moins d'argent. Cependant, pour peu que le photographe dispose d'un soleil brillant ou de sources de lumière d'appoint pour bien éclairer son sujet, il pourra, à partir d'une pellicule lente, agrandir l'image considérablement, sans pour autant nuire à sa précision.

Pour exécuter des portraits, on choisit souvent des pellicules lentes et les photographies présentées à droite et dues à l'objectif de Werner Köhler, un photographe indépendant allemand, prouvent la valeur de cette pellicule dans l'interprétation des natures mortes. Les photos de Köhler ont été obtenues sur une pellicule Ilford Pan F de 50 ASA, et un Leica équipé d'un objectif de 50 mm. Le ciel étant couvert, il régla l'ouverture à f/5,6 et opéra au 1/50e seconde. La finesse des détails qu'il a obtenus est si grande que les feuilles et les graviers donnent l'impression d'être de véritables objets palpables.

WERNER KÖHLER : *Motifs de la nature,* 1966

Les effets magiques de la pellicule infrarouge

Les pellicules infrarouges peuvent produire des photographies de paysages d'une beauté fascinante, qui évoque des effets de clair de lune : le ciel est obscur, les nuages sont cotonneux, le feuillage et l'herbe d'une luminosité insolite. Minor White utilisa ce genre de métamorphose dans la photographie qu'il prit d'une ferme des environs d'Avon (État de New York) *(à droite)* avec une pellicule infrarouge et une chambre Sinar 10 × 12,5 cm équipée d'un filtre rouge.

Pour la plupart, les pellicules de ce type, employées à d'autres fins que les travaux scientifiques, réagissent à diverses ondes visibles ; elles tirent aussi leurs propriétés spéciales de leur sensibilité aux rayons infrarouges, invisibles mais très proches du rouge quant à la longueur d'onde.

Le soleil et les lampes à incandescence émettent à profusion ces infrarouges proches, qui engendrent d'étranges effets photographiques, car ils ne sont pas toujours absorbés ou réfléchis par les substances de la même façon que les ondes lumineuses visibles. Le jour où on se servit d'un filtre rouge foncé pour empêcher le passage de presque toutes les ondes lumineuses visibles, la photo fut prise principalement aux infrarouges proches et ces effets étranges devinrent alors particulièrement évidents.

Sur la photo, les feuilles et l'herbe, substances qui réfléchissaient puissamment les infrarouges proches, ressortirent en taches d'une blancheur de neige (les caractéristiques de la texture de la surface des feuilles furent perdues ; en effet, la réflexion des infrarouges proches s'opérait non pas à la surface de la feuille mais dans des couches plus profondes du tissu végétal). Les particules d'eau en suspension dans les nuages, réfléchissant aussi les infrarouges proches, ces nuages ressortirent également en blanc d'une grande luminosité. Le ciel, en revanche, paraît noir parce que les ondes lumineuses bleues, qui font partie des ondes courtes du spectre solaire, se trouvaient arrêtées par le filtre rouge sombre.

Parfois, les photographes utilisent une pellicule infrarouge et un filtre pour prendre des paysages à grande distance lorsque le temps est plus ou moins brumeux ; ces légères brumes ou vapeurs résultent de la dispersion de la lumière du fait de la présence dans l'air de minuscules particules d'eau ou d'impuretés ; cependant, les infrarouges proches ne subissent pas cet effet de diffusion. Au lieu d'être dispersés par ces particules, les infrarouges réfléchis par le paysage les traversent comme si elles n'existaient pas. Un paysage brumeux photographié avec une pellicule infrarouge paraît parfaitement clair.

MINOR WHITE: *Cobblestone House, Avon (État de New York),* 1958

Les teintes limpides des films Polaroïd

Le film Polaroïd Land fournit une photo en 15 secondes, mais de surcroît les effets esthétiques obtenus avec cette pellicule sont incomparables. Toute granulation ou presque étant absente de l'épreuve, celle-ci présente un extraordinaire satiné crémeux. Cette limpidité assure aux régions de haute lumière d'une photo Polaroïd une charmante apparence d'ivoire. Ces qualités ressortent nettement de la photo présentée ci-contre, deux danseurs de ballet surpris par l'objectif de Marie Cosindas. Elle se servit en l'occurrence d'un film Polaroïd Land de 50 ASA et d'un appareil Linhof 10 × 12,5 cm, dont le corps arrière peut recevoir un châssis spécial pour l'usage des *film-packs* Polaroïd.

Depuis fort longtemps, les photographes se servent des pellicules Polaroïd, qui peuvent faire office de posemètre très pratique. En chargeant un appareil ordinaire d'une pellicule Polaroïd grâce à un adaptateur de *film-packs,* le photographe peut réaliser rapidement des expositions d'essai et les vérifier, ce qui permet d'éviter ensuite toute erreur d'exposition de la pellicule normale que l'on emploie. Parfois, cette épreuve d'essai sur pellicule Polaroïd fournit d'ailleurs la photo définitive ; ce fut le cas par exemple dans le portrait de deux femmes réalisé par Philippe Halsman avec un film Polaroïd Land de 300 ASA *(page 152).* □

MARIE COSINDAS : *Danseurs au repos,* 1962

PHILIPPE HALSMAN : *Deux femmes,* 1958

L'exposition, facteur essentiel de la qualité de l'image 5

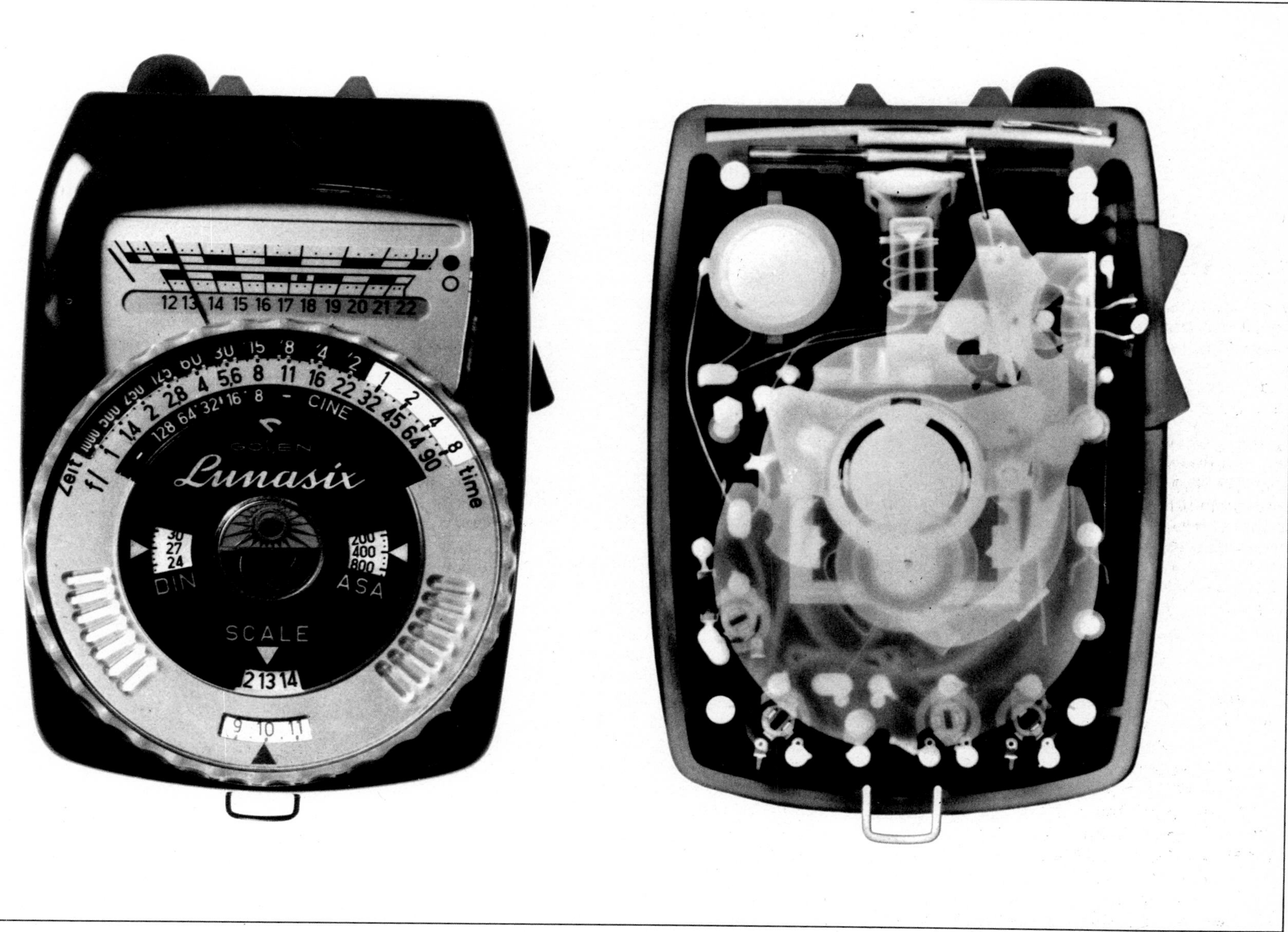

Posemètre, vu de face et vu aux rayons X

Comment exposer pour avoir un bon négatif

Dans les premiers temps de la photographie, le photographe bénéficiait d'un court délai durant lequel il pouvait juger très exactement de ce que donnerait l'image. Pour cela, il lui suffisait de surveiller la plaque grâce à un trou aménagé dans la paroi de la chambre de l'appareil et, une fois une image satisfaisante enregistrée sur la plaque ou le papier, il arrêtait l'exposition. Certains professionnels déterminent encore la durée d'exposition indispensable à l'obtention d'un bon négatif en adoptant la méthode directe des épreuves d'essai (procédé très commode avec un appareil permettant l'emploi de films Polaroïd). Cependant, la plupart des photographes se fient à leurs posemètres et à leur propre jugement. Grâce à des pellicules dont la rapidité est normalisée, grâce aussi à des posemètres très diversifiés, capables de mesurer l'intensité de la lumière, un photographe expérimenté peut être aussi certain d'obtenir le négatif souhaité que son prédécesseur du XIXe siècle, qui surveillait la formation de l'image à l'intérieur même de l'appareil.

Le choix de l'exposition — opération ultime qui intervient après la détermination de la pellicule à employer et celle des éléments de l'éclairage — conditionne la façon dont la scène sera enregistrée. Devant l'objectif, s'étend tout un monde de couleurs riches et subtiles, d'une grande variété de texture, où jouent des lumières tantôt fortes, tantôt diffuses, et dont toutes les caractéristiques sont là pour être traduites en diverses valeurs de gris sur la pellicule noir et blanc. Les couleurs sont, bien sûr, perdues. Cependant, les filtres permettent de contrôler le rendu des valeurs de telle ou telle couleur sur la pellicule noir et blanc de telle sorte que ces couleurs puissent être discernées les unes des autres grâce aux différences de valeur des gris qu'elles engendrent. De la sorte, les nuages peuvent être rendus plus clairs que le ciel bleu, des pommes rouges deviendront éventuellement plus sombres que des feuilles vertes, les contrastes relatifs que la nature tire des couleurs se trouvent transposés en nuances de gris.

Toutefois, une photographie ne présente qu'un nombre limité de gris différents; au mieux, la région la plus éclairée de la photographie pourra paraître 50 fois plus lumineuse que le plus profond des noirs. Sur ce plan, la nature est bien moins limitée. Dans une scène ordinaire, certaines plages du sujet peuvent être 200 fois plus lumineuses que d'autres; ceci n'empêche pas l'œil de discerner les détails et leurs caractéristiques, tant dans les régions très éclairées que dans les zones sombres. La photographie écrase cette échelle et ce processus entraîne la disparition d'un certain nombre de détails lorsque deux valeurs voisines de gris, avec leurs fines précisions, se fondent en une seule. Certains détails disparaissent, d'autres sont enregistrés par la pellicule, ce tri dépend grandement de l'exposition.

Régler l'exposition de façon à obtenir un maximum de netteté constitue pour la plupart des photographes le moyen d'obtenir un bon négatif. L'explication est simple : il est relativement aisé de supprimer les détails indésirables à un stade ultérieur pendant le tirage, mais aucune dextérité ne saurait, lors du développement en chambre noire, ajouter des détails inexistants sur le négatif. En pratique, pour obtenir un maximum de netteté, il y a lieu d'exposer en fonction des ombres. De la sorte, les caractéristiques essentielles des régions sombres du sujet, qui reflètent moins de lumière que les autres et produisent dans l'image développée des dépôts d'argent métallique particulièrement faibles, seront certainement enregistrées au lieu d'être omises. Les régions très éclairées impressionneront peut-être la pellicule avec tant de force que ces portions du négatif auront l'air de taches d'argent solide. Ces régions surexposées sont rarement aussi pauvres en détails caractéristiques qu'elles le paraissent et, grâce à divers procédés de laboratoire, on peut faire ressortir, lors du dernier tirage, bon nombre de ces détails. En consé-

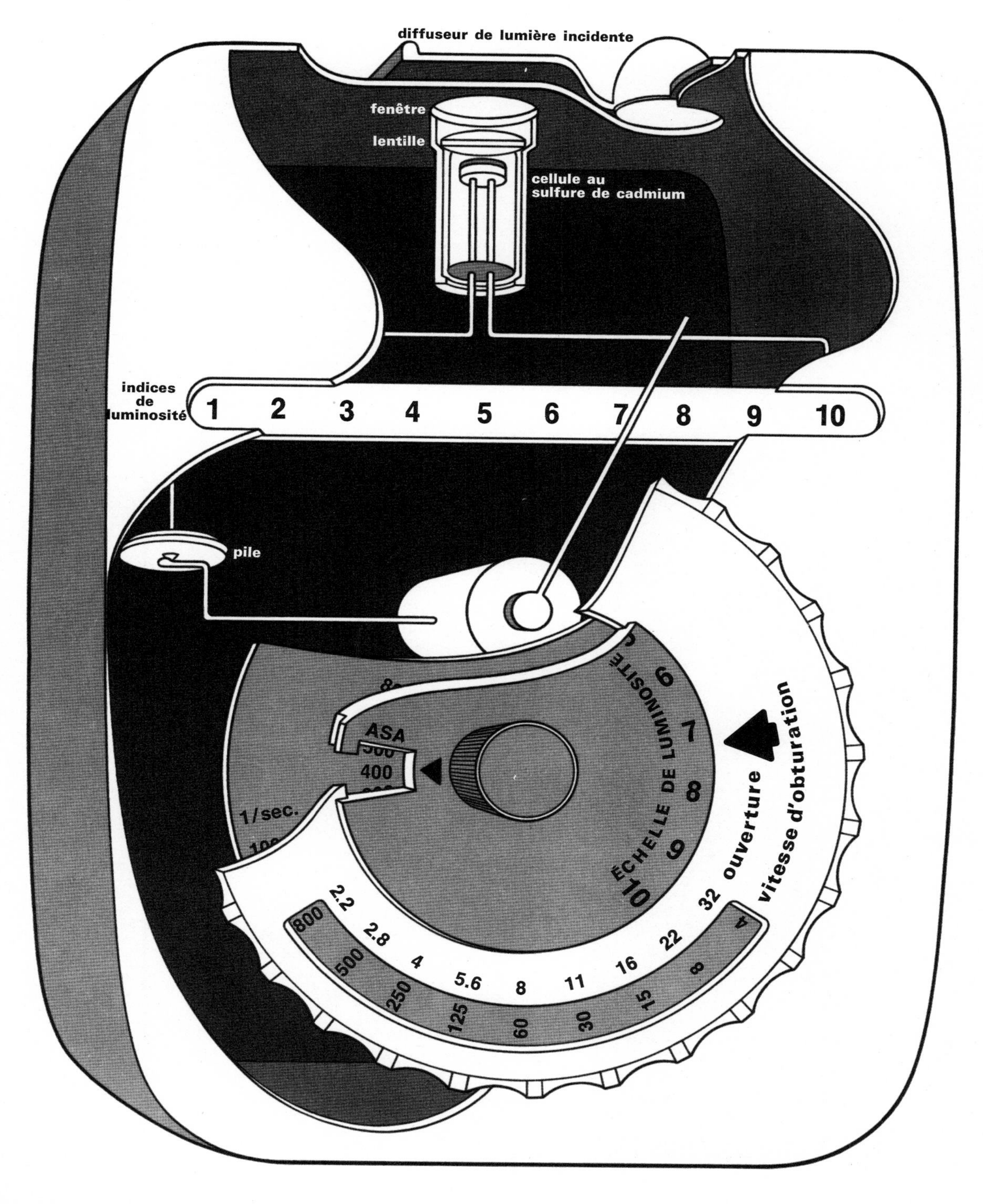

Le posemètre à gauche est réglé de façon à mesurer l'intensité de la lumière réfléchie. Le collecteur hémisphérique destiné à permettre l'évaluation de la lumière incidente a été ôté et la fenêtre se trouve ainsi dégagée. Le flux lumineux pénètre par la fenêtre et atteint directement la cellule au sulfure de cadmium. La cellule contrôle le courant de la pile qui alimente l'indicateur de mesure. La quantité du flux lumineux que reçoit la cellule détermine la quantité de courant, qui actionne l'indicateur de mesures et commande le mouvement de son aiguille ; dans le cas de la figure, l'aiguille indique un peu plus de 7. Pour obtenir les éléments du réglage de l'appareil en fonction de cette lecture, on fait tourner le bouton central jusqu'à faire apparaître, dans la petite fenêtre aménagée presque au centre du cadran, l'indication correspondant à la rapidité ASA de la pellicule utilisée. Ensuite, on fait tourner le grand disque extérieur jusqu'à ce que la pointe de sa flèche soit dirigée sur le chiffre porté sur l'échelle de luminosité et correspondant à la lecture de l'aiguille du posemètre. De la sorte, l'ouverture et la vitesse d'obturation (qui apparaît près de la partie inférieure du cadran) se trouvent appareillées de façon à assurer une exposition correcte pour l'intensité lumineuse mesurée. Dans le cas considéré, l'exposition correcte implique une ouverture de f/2,2 au 1/800e de seconde, ou de f/2,8 au 1/500e de seconde ou n'importe laquelle des autres combinaisons possibles jusqu'à une ouverture de f/32 au 1/4 de seconde.

Le posemètre à lumière incidente

Il existe un certain nombre de situations où les deux types de posemètre, le posemètre à lumière incidente, qui mesure l'intensité du flux lumineux tombant sur le sujet, et le posemètre à lumière réfléchie, qui évalue le flux lumineux réfléchi par le sujet, sont également efficaces. Lorsqu'il photographia le portail de l'église présenté sur ces pages, Henry Groskinsky, ancien reporter photographe de LIFE, aurait pu utiliser l'un quelconque de ces deux types d'appareil.

Pour opérer sa lecture, Groskinsky orienta le posemètre dans la direction opposée à celle de l'église et s'assura qu'aucune ombre — à commencer par la sienne — n'était projetée sur le collecteur sphérique du posemètre. Effectuée à distance de prise de vues de l'église, cette lecture aurait été satisfaisante pour une vue d'ensemble de l'édifice. Cependant, son souhait étant de photographier une porte latérale, offrant de forts contrastes entre les ombres et les hautes lumières, il transporta son posemètre à proximité des diverses régions intéressées afin de prendre plusieurs lectures.

Lumière incidente ou lumière réfléchie, le choix dans bien des cas analogues à celui de cette photographie est souvent une simple question de préférence, mais il existe néanmoins des situations dans lesquelles l'un ou l'autre de ces deux processus présente des avantages. Pour évaluer, par exemple, l'exposition souhaitable dans le cas d'un sujet éloigné comme la découpe contre le ciel d'une ville vue par delà une rivière, le posemètre à lumière incidente offre généralement une plus grande fiabilité. En l'occurrence, le posemètre à lumière réfléchie, dont le fonctionnement est très sûr pour des lectures à faible distance fournirait peut-être une indication trop forte du fait des reflets du ciel et de l'eau. Le posemètre à lumière incidente se montre également plus précis en général lorsqu'il s'agit de petits objets se détachant sur un fond très lumineux. Pour une zone lumineuse trop étendue, le posemètre à lumière réfléchie donne une lecture trop forte.

Dans la photo en haut, on voit Groskinsky en train d'évaluer l'intensité de la lumière incidente éclairant les marches et le côté de l'église ; il tourne son posemètre en direction de la lumière pour évaluer le flux lumineux incident. Sur l'indicateur, l'aiguille est légèrement en dessous de 20. En adoptant l'exposition indiquée par cette lecture, l'appareil photographique a donné la photo présentée ci-dessous. Les régions de haute lumière sont traduites avec clarté, mais la gamme des valeurs du mur latéral est relativement étroite. Les zones d'ombre sont très nettement sous-exposées et tous les détails qu'elles contiennent sont perdus pour la photo.

Groskinsky effectue sa seconde lecture à l'ombre sous le portail (en haut) et l'aiguille tombe alors à 17, soit près de trois graduations de moins que lors de la mesure effectuée en plein soleil. Si, pour régler l'exposition, le photographe adoptait cette seconde lecture, il obtiendrait la photo présentée ci-dessous. Les régions plongées dans l'ombre ne sont plus des taches noires et la photo fait clairement ressortir les détails que présente la porte. Cependant, les régions de haute lumière des marches et du mur latéral sont désormais « brûlées » du fait de la surexposition.

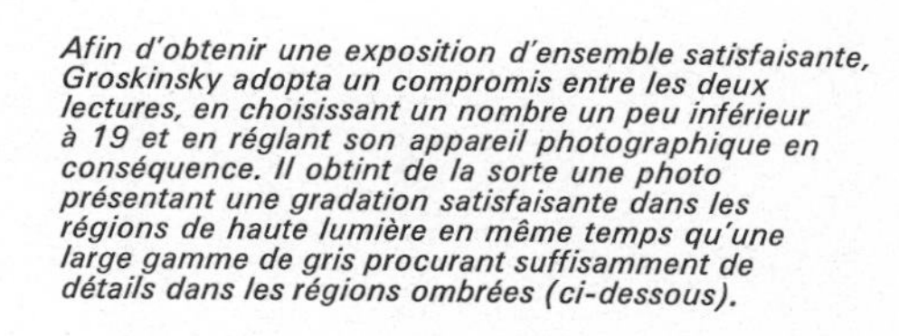

Afin d'obtenir une exposition d'ensemble satisfaisante, Groskinsky adopta un compromis entre les deux lectures, en choisissant un nombre un peu inférieur à 19 et en réglant son appareil photographique en conséquence. Il obtint de la sorte une photo présentant une gradation satisfaisante dans les régions de haute lumière en même temps qu'une large gamme de gris procurant suffisamment de détails dans les régions ombrées (ci-dessous).

Le posemètre à lumière réfléchie

Comme Groskinsky le montre dans l'illustration à gauche, la façon la plus aisée d'utiliser un posemètre à lumière réfléchie consiste à disposer l'instrument près de l'appareil photographique, en le tournant dans la direction de la scène à photographier. Si les teintes claires et les teintes sombres sont réparties à peu près également, ce processus donne généralement de bons résultats. Cependant, si les régions très éclairées ou les régions sombres exercent une prédominance, l'indication de posemètre peut conduire à un manque de rendu des valeurs dans les teintes minoritaires.

Comme l'indiquent les illustrations à droite, le meilleur processus consiste à effectuer diverses lectures à faible distance pour évaluer les intensités lumineuses réfléchies par un certain nombre de plages de la scène. Il suffit généralement de prendre la moyenne de ces lectures mais, compte tenu du fait que le rendu des valeurs est habituellement moins satisfaisant dans les plages sombres, on préfère souvent adopter un nombre légèrement supérieur à la moyenne, surtout si ces plages sombres présentent un intérêt particulier ou sont assez étendues.

Très souvent, il y a lieu de mesurer l'intensité lumineuse à partir de l'emplacement qu'occupe l'appareil. Le photographe qui prend pour sujet le Grand Canyon ne va pas s'amuser à escalader les parois rocheuses afin d'effectuer des lectures de près. On peut obtenir un résultat satisfaisant en mesurant l'intensité de la lumière réfléchie par divers objets proches, présentant des illuminations et des couleurs comparables à celles des diverses parties de la scène à photographier, puis en faisant la moyenne de ces lectures.

Cette technique peut également s'employer lorsqu'on photographie des personnes qu'il n'est pas facile d'approcher pour effectuer des mesures d'intensité lumineuse. Bien souvent, ces personnes ont le visage à l'ombre et une exposition, calculée d'après l'intensité de la lumière réfléchie par l'ensemble de la scène et mesurée à partir de l'appareil, peut amener la disparition des traits du sujet. La solution consiste à faire une lecture au posemètre, en orientant l'instrument vers un visage plongé dans l'ombre et assez proche, ou tout simplement en mesurant l'intensité réfléchie par la paume de la main placée à l'ombre.

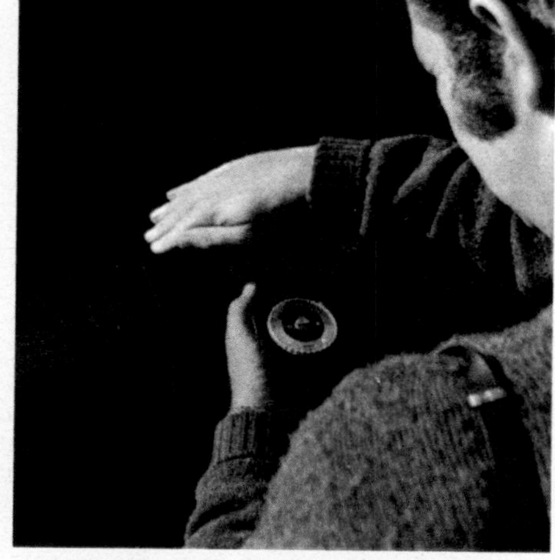

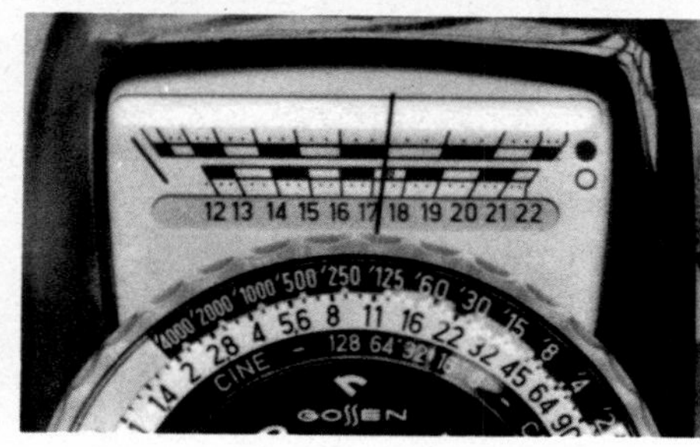

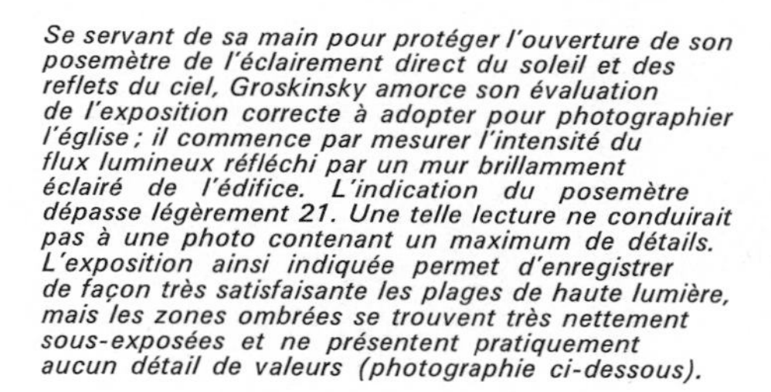

Se servant de sa main pour protéger l'ouverture de son posemètre de l'éclairement direct du soleil et des reflets du ciel, Groskinsky amorce son évaluation de l'exposition correcte à adopter pour photographier l'église ; il commence par mesurer l'intensité du flux lumineux réfléchi par un mur brillamment éclairé de l'édifice. L'indication du posemètre dépasse légèrement 21. Une telle lecture ne conduirait pas à une photo contenant un maximum de détails. L'exposition ainsi indiquée permet d'enregistrer de façon très satisfaisante les plages de haute lumière, mais les zones ombrées se trouvent très nettement sous-exposées et ne présentent pratiquement aucun détail de valeurs (photographie ci-dessous).

Pour tirer parti d'un posemètre à lumière réfléchie, il est essentiel de mesurer l'illumination de la partie sombre de la scène (illustration du haut). En orientant l'instrument vers une partie plongée dans l'ombre du mur de l'église, l'aiguille de l'indicateur est aux environs de la graduation 17 (ci-dessus). Prises isolément, cette indication et celle qui intéressait les régions brillamment éclairées seraient trompeuses. Si on calcule l'exposition d'après l'indication fournie par la partie sombre de l'église, il en résulte une photographie très différente de ce que souhaite le photographe (ci-dessous). Les régions sombres présentent des détails remarquables, mais les zones de haute lumière sont blanches.

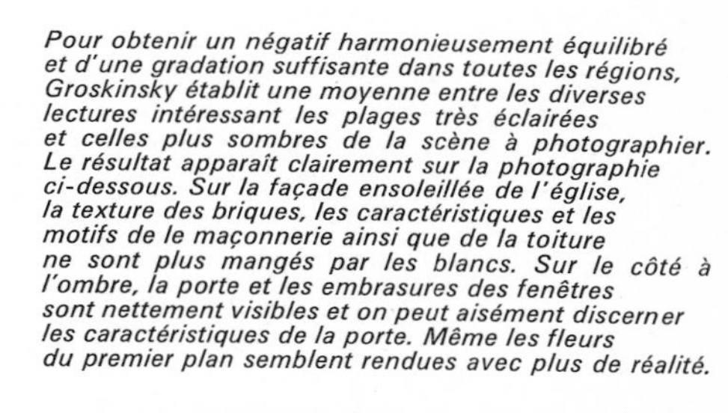

Pour obtenir un négatif harmonieusement équilibré et d'une gradation suffisante dans toutes les régions, Groskinsky établit une moyenne entre les diverses lectures intéressant les plages très éclairées et celles plus sombres de la scène à photographier. Le résultat apparaît clairement sur la photographie ci-dessous. Sur la façade ensoleillée de l'église, la texture des briques, les caractéristiques et les motifs de le maçonnerie ainsi que de la toiture ne sont plus mangés par les blancs. Sur le côté à l'ombre, la porte et les embrasures des fenêtres sont nettement visibles et on peut aisément discerner les caractéristiques de la porte. Même les fleurs du premier plan semblent rendues avec plus de réalité.

Le « spot meter »

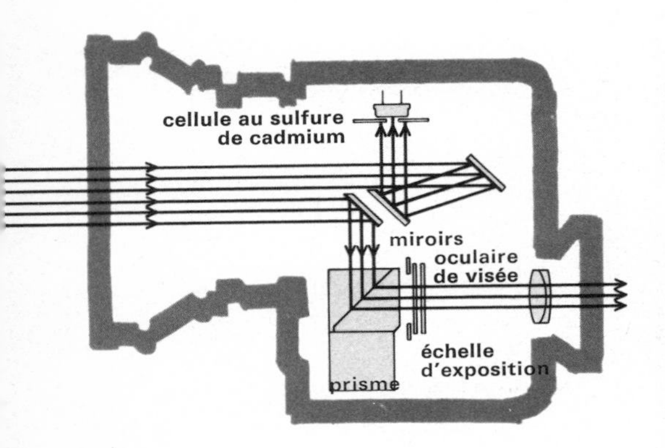

Le principe de fonctionnement d'un « spot meter » comme celui de Minolta (ci-dessous) est décrit dans le schéma très simplifié présenté ci-dessus. Partie de la lumière, qui pénètre dans l'objectif à mise au point, est renvoyée par un ensemble miroir-prisme à travers l'échelle d'exposition et l'oculaire du viseur, de façon que le photographe puisse diriger son posemètre sur l'objet à photographier. Le reste de la lumière est réfléchi vers la cellule sensible de sulfure de cadmium. Un diaphragme est disposé devant la cellule ; il arrête la majeure partie de la lumière ; seule une fraction de celle-ci provenant d'une partie de la scène parvient à l'appareil de mesure. Vue à travers l'oculaire de visée, l'échelle d'exposition se superpose à la scène à photographier.

Le « spot meter » mesure l'intensité de la lumière réfléchie mais ne couvre qu'une région très réduite de la scène. Alors que l'angle de champ d'un posemètre normal varie entre 30° et 50°, celui du « spot meter » ne dépasse pas 1°. Cet instrument onéreux est utilisé par les photographes spécialisés et par les amateurs employant des techniques avancées, qui désirent évaluer avec précision l'exposition à adopter pour une région déterminée de la scène à photographier.

Le « spot meter » est particulièrement indiqué dans le cas de mesures concernant des objets éloignés. La photographie située à la partie supérieure de la page opposée a été réalisée en adoptant l'exposition déterminée par un posemètre à lumière réfléchie du type ordinaire. Du fait de la présence au premier plan de buissons et d'ombres, la lecture du posemètre était trop faible et les immeubles sont surexposés. Avec une exposition déterminée au « spot meter » en visant un immeuble lointain, la photographie *(partie inférieure de la page opposée)* est excellente du point de vue du détail, résultat obtenu au prix d'une perte du rendu des valeurs de l'ensemble du premier plan.

En regardant par le viseur du « spot meter », le photographe aperçoit partie de la scène *(voir à droite)* grossie par un objectif à mise au point. L'écran de visée comporte un petit cercle qui indique la région précise sur laquelle porte la lecture de l'instrument. Sur le pourtour de l'écran de visée, on aperçoit les deux cadrans ; le photographe dispose en fonction de la rapidité ASA de la pellicule utilisée le cadran extérieur, qui porte les graduations intéressant la vitesse d'obturation. Dès que le petit cercle du viseur se trouve superposé à l'image de la région à examiner, il appuie sur un bouton et, mû par un moteur électrique, le cadran intérieur, qui porte les graduations intéressant l'ouverture, tourne automatiquement pour mettre en regard les éléments ouverture-vitesse d'obturation assurant une bonne exposition.

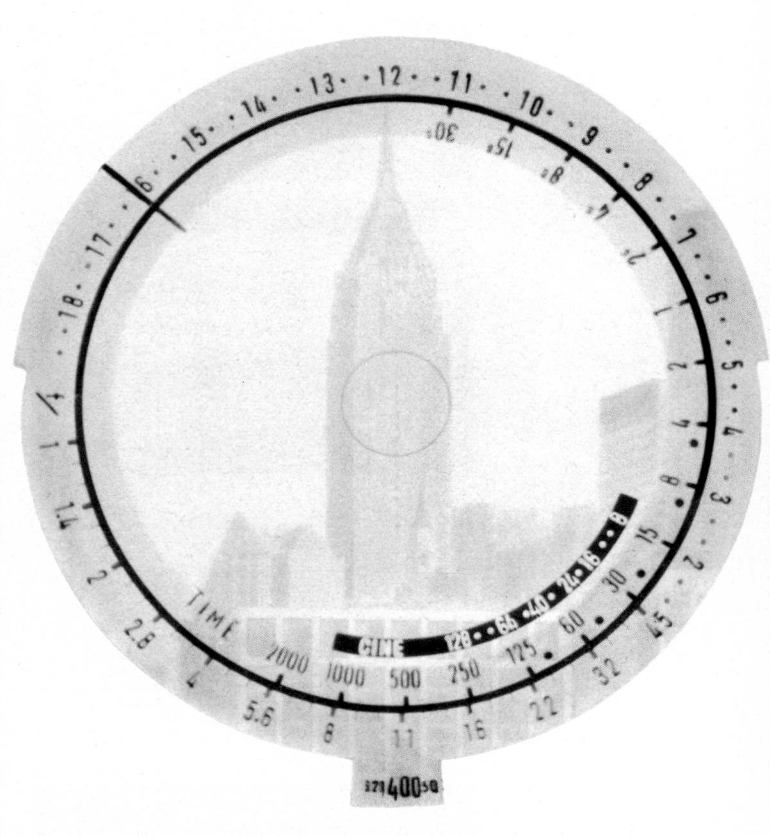

L'objectif du « spot meter » ne couvre qu'une faible portion de la scène à photographier, mais l'image qu'il donne dans le viseur est grossie quatre fois. En fait, la région intéressée par la mesure de l'intensité lumineuse n'est qu'une portion très réduite (petit cercle) de l'ensemble de la scène et elle correspond à un angle de champ de un degré. Pour utiliser cet instrument de mesure, le photographe dispose le cadran extérieur en fonction de la rapidité ASA de la pellicule utilisée (en bas) et il oriente l'appareil de façon que le petit cercle vienne se superposer à la région de la scène qui l'intéresse du point de vue de l'intensité lumineuse. Le cadran intérieur tourne pour amener en coïncidence les éléments ouverture-vitesse d'obturation des diverses combinaisons correctes de l'exposition. La courte échelle intérieure donne le nombre d'images par seconde à adopter dans le cas d'une caméra de cinéma.

Du fait de la présence d'un premier plan très sombre, un posemètre ordinaire donne de cette scène une lecture bien trop basse qui a pour conséquence une photographie (à droite, en haut) présentant un bon rendu des valeurs pour le premier plan, mais les immeubles situés dans le lointain sont surexposés. Une lecture au « spot meter » de la luminosité des immeubles brillamment éclairés fournit une indication plus faible quant à l'exposition. La photographie prise dans ces conditions (à droite, en bas) présente un premier plan plus sombre, mais un bon rendu des valeurs pour les immeubles.

Les posemètres incorporés

Le posemètre d'ambiance

Bien qu'il existe à présent de nombreux types de posemètres incorporés — plus de deux douzaines —, ils relèvent pour la plupart du type dit posemètre d'ambiance. Comme les posemètres à lumière réfléchie *(pages 162-163)*, ils évaluent l'intensité moyenne du flux lumineux réfléchi par toutes les parties de la scène vers laquelle on les oriente et donnent les indications nécessaires au réglage approprié de l'appareil photographique. Dans la plupart des appareils photographiques reflex mono-objectif, les posemètres mesurent l'intensité du flux lumineux qui traverse l'objectif grâce à deux cellules au sulfure de cadmium *(voir schéma ci-dessous).* Cette disposition donne d'excellents résultats lorsque le sujet ne présente que des contrastes limités entre les régions éclairées et les régions sombres. Cependant, avec des scènes trop brillamment éclairées ou trop sombres, le posemètre, à moins d'être utilisé avec grand soin, donnera des indications qui peuvent entraîner une sous-exposition ou une surexposition *(voir illustrations à droite)*

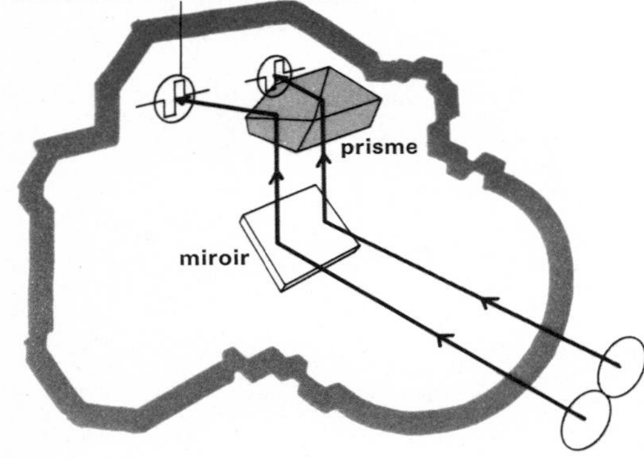

Dans le cas du posemètre d'ambiance incorporé à un appareil reflex monoculaire du type classique, la lumière pénètre par l'objectif, tombe sur le miroir incliné et est renvoyée vers le prisme. Les cellules au sulfure de cadmium sont montées de part et d'autre de l'oculaire et visent le prisme. Chacune de ces cellules mesure l'intensité du flux lumineux réfléchi par une des moitiés de la scène à photographier. Les cellules sont interconnectées de façon à donner une valeur moyenne de ces deux intensités. Pour déterminer l'exposition à adopter, le photographe surveille généralement un index ou une aiguille visible dans le viseur et règle soit l'ouverture, soit la vitesse de l'obturateur. Lorsque l'aiguille est correctement alignée avec un repère placé sur les bords du viseur, l'appareil est réglé à une exposition correcte.

Une des cellules mesure l'intensité de la lumière réfléchie par la moitié droite de la scène, symbolisée sur la figure par le cercle de droite; l'autre cellule mesure l'intensité de la lumière réfléchie par l'autre partie. Dans le cas de cette photographie, le large pan de ciel est si lumineux que la lecture du posemètre conduit à une exposition impliquant une ouverture d'un cran trop faible. L'exposition adoptée convient au ciel, mais les immeubles ressortent trop noirs sur la photographie et manquent de détails dans les valeurs.

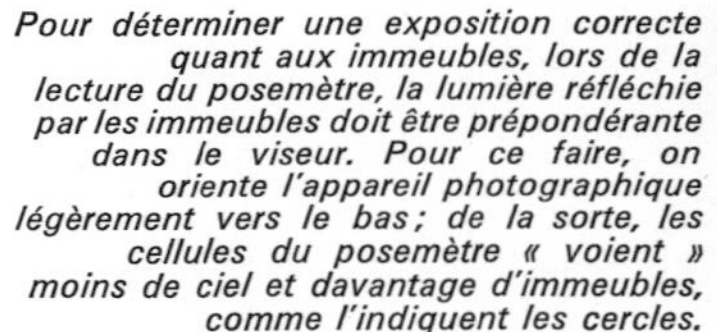

Pour déterminer une exposition correcte quant aux immeubles, lors de la lecture du posemètre, la lumière réfléchie par les immeubles doit être prépondérante dans le viseur. Pour ce faire, on oriente l'appareil photographique légèrement vers le bas; de la sorte, les cellules du posemètre « voient » moins de ciel et davantage d'immeubles, comme l'indiquent les cercles.

Ayant déterminé une exposition correcte en évaluant l'intensité de la lumière réfléchie par les immeubles, le photographe redresse son appareil et retrouve la composition initiale. Cette fois, la photographie qu'il obtient possède un meilleur équilibre des valeurs qui donne un bon rendu des détails dans les façades des immeubles.

Du fait du chevauchement des régions embrassées respectivement par chacune des cellules, la lecture de l'appareil prend davantage en considération l'intensité de la lumière réfléchie par la région centrale. En conséquence, si un coin de ciel très lumineux occupe la partie centrale de l'image, la lecture fournit une exposition qui, en ce qui concerne les immeubles, est encore plus inadaptée que dans le cas du posemètre d'ambiance ordinaire. En l'occurrence, la sous-exposition correspond à deux divisions de l'échelle du diaphragme.

En inclinant l'appareil de façon à amener partie des immeubles au centre du viseur, on obtient une lecture qui correspond mieux à la luminosité des immeubles qu'à celle du ciel.

En adoptant l'exposition qui convient à la luminosité des immeubles, et en réglant l'appareil en conséquence, les détails ressortent nettement sur la photo. Le ciel est quelque peu surexposé, mais comme cette partie de la scène ne présente pas de détails particuliers, rien d'important ne se trouve perdu.

Le posemètre d'ambiance (à mesure condensée)

En partant de l'idée que les photographes pour la plupart placent la partie la plus intéressante du sujet au centre ou à proximité du centre de la scène à photographier, et souhaitent adopter une disposition qui leur donne une exposition correcte dans cette zone, certains fabricants de matériel photographique ont conçu des posemètres qui, pour mesurer l'intensité lumineuse, tiennent particulièrement compte de la luminosité de la région centrale. Comme dans le posemètre d'ambiance, l'instrument comporte deux cellules photo-électriques, mais qui couvrent des régions qui se chevauchent. Un appareil photographique, par exemple, est équipé d'un posemètre, dont les deux cellules photo-électriques réagissent pour 60 % de leur lecture à l'intensité de la lumière provenant de cette zone centrale (délimitée par un cercle au centre même du viseur) ; dans la lecture du posemètre, l'intensité lumineuse du reste de la scène entre pour 40 %. Cependant, si cette région centrale correspond à un pan de ciel lumineux, ou à un arrière-plan sombre, ce dispositif peut également conduire à des résultats erronés, à moins que le photographe adopte des mesures correctives.

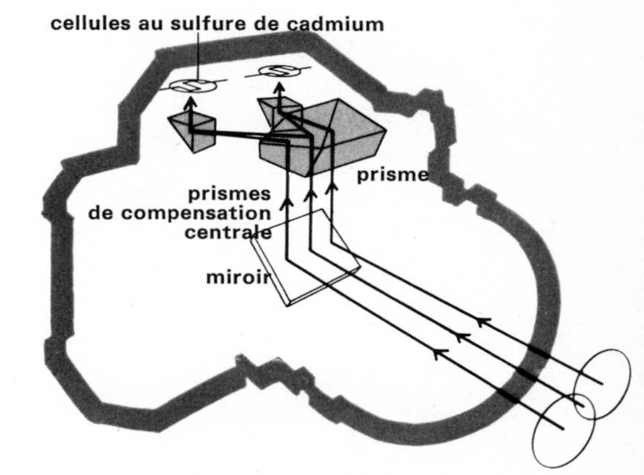

Dans un posemètre d'ambiance à mesure compensée classique, la lumière pénètre par l'objectif de l'appareil photographique et, réfléchie par le miroir, elle est renvoyée au prisme comme dans le cas du posemètre d'ambiance. Le chevauchement des zones intéressées par les cellules est obtenu grâce à des petits prismes, disposés devant chacune d'elles et inclinés de façon à dévier partie de la lumière sortant du prisme principal. De la sorte, les rayons lumineux réfléchis par la partie centrale de la scène à photographier atteignent les deux cellules ; cette région exerce donc une action prépondérante sur la lecture totale du posemètre. Comme lorsqu'il utilise un posemètre d'ambiance normal, le photographe trouve les éléments de l'exposition correcte à adopter en agissant sur le réglage de l'ouverture et celui de la vitesse d'obturation, afin d'amener l'aiguille mobile en coïncidence avec un index fixe.

Le « spot meter »

Comme le « spot meter » indépendant *(pages 164-165)*, le « spot meter » incorporé (à mesure centrale) évalue l'intensité de la lumière réfléchie par une petite région de la scène à photographier. La surface intéressée par la lecture est généralement indiquée par un petit cercle ou un rectangle que porte le verre dépoli du viseur et, selon l'appareil photographique, cette zone couvre entre 5 % et 15 % du champ total embrassé par l'objectif de l'appareil.

Du fait de la petitesse de la portion sondée par le « spot meter », la visée doit être encore plus minutieuse qu'avec les autres genres de posemètres. Sur la photo présentée tout en haut à droite, la région intéressée par la lecture du « spot meter » est une fois de plus un pan de ciel très lumineux; du fait de cette luminosité, les immeubles se trouvent sous-exposés. Pour obtenir une photo présentant un bon rendu des valeurs dans les régions sombres, l'exposition doit résulter d'une lecture au « spot meter » effectuée sur un des immeubles *(au centre)*.

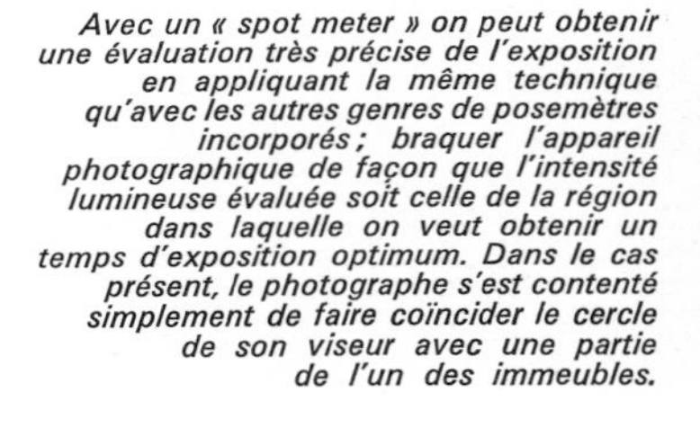

Dans la disposition classique du « spot meter », la lumière pénètre par l'objectif de l'appareil photographique, tombe sur un miroir incliné qui comporte au centre une petite plage non argentée ; la majeure partie de la lumière est renvoyée vers le viseur. Une faible partie de la lumière, après avoir traversé la région transparente du premier miroir, tombe sur un second miroir, qui la réfléchit en direction de la cellule au sulfure de cadmium. La cellule n'évalue la luminosité que dans la région limitée de la scène qu'elle est autorisée à sonder. Dans la plupart des appareils à mesure centrale incorporée, la détermination des éléments de l'exposition s'effectue de la même manière qu'avec les posemètres d'ambiance et les posemètres d'ambiance à mesure compensée ; on ajuste la vitesse d'obturation ou l'ouverture de telle sorte que l'aiguille du viseur indique une exposition correcte.

Lorsqu'il utilise un appareil photographique à « spot meter » incorporé et qu'il vise la scène à photographier, le photographe doit veiller à ce que la lecture du « spot meter » porte sur la région qui l'intéresse. Ici, à droite, la région intéressée, indiquée par le petit cercle, est un pan de ciel lumineux au centre du viseur. L'évaluation de l'intensité lumineuse résultant uniquement de l'examen de cette région, les immeubles ressortent très sous-exposés (de 3 divisions de diaphragme environ).

Avec un « spot meter » on peut obtenir une évaluation très précise de l'exposition en appliquant la même technique qu'avec les autres genres de posemètres incorporés ; braquer l'appareil photographique de façon que l'intensité lumineuse évaluée soit celle de la région dans laquelle on veut obtenir un temps d'exposition optimum. Dans le cas présent, le photographe s'est contenté simplement de faire coïncider le cercle de son viseur avec une partie de l'un des immeubles.

Ayant réglé son exposition de façon à obtenir le réglage idéal pour les immeubles, le photographe a cadré à nouveau sa composition initiale et, cette fois, il a obtenu la photo qu'il souhaitait.

Le posemètre automatique

Le posemètre automatique incorporé, qui se charge de régler automatiquement l'appareil photographique pour une exposition correcte, en déterminant directement l'ouverture et/ou la vitesse d'obturation permet d'obtenir dans les conditions normales des négatifs bien exposés. Toutefois, comme on peut le voir sur la photographie en haut à gauche, lorsque la lumière derrière le sujet est très forte, il y a généralement sous-exposition parce que le posemètre se trouve principalement influencé par la luminosité de l'arrière-plan.

Dans des cas de ce genre, le photographe peut obtenir une photo correctement exposée en se rabattant sur une des diverses techniques qui permettent de « tromper » le posemètre automatique. Le meilleur moyen de faire varier l'ensemble du système de contrôle des éléments d'exposition est sans doute de changer le réglage initial de la rapidité ASA pris en compte par l'appareil photographique. En modifiant ce réglage et en adoptant un nombre différent de celui qui caractérise la pellicule employée en fait, on peut augmenter ou diminuer l'exposition. Pour accroître l'exposition, on utilise un nombre de degrés ASA inférieur à la sensibilité réelle de la pellicule et inversement. (Ainsi, si l'appareil est chargé d'un film de 125 ASA et que l'on règle le cadran des sensibilités sur 64 ASA, on obtient une exposition deux fois plus forte.)

Une autre manière de corriger la mesure du posemètre automatique consiste à régler l'appareil photographique pour une photographie au flash et à mettre en place une lampe éclair déjà utilisée ou, dans le cas de certains appareils photographiques, à supprimer carrément la lampe-éclair. Ce dispositif entraînera un accroissement d'exposition (la vitesse d'obturation pour le flash est généralement de 1/30e de seconde). □

Le ciel lumineux qui sert d'arrière-plan à cette fillette influencera le posemètre automatique incorporé, qui adoptera une exposition incorrecte. Le visage de la fillette est rendu si noir que les traits deviennent indiscernables (photographie du haut). A condition de « leurrer » littéralement le système de contrôle automatique des éléments de l'exposition, soit en adoptant un nombre de degrés ASA inférieur à celui de la pellicule, soit en insérant une lampe-éclair usagée dans le socle approprié, on peut accroître l'exposition et on obtient de la sorte une photographie correctement exposée comme celle qui illustre le bas de la page.

Une gamme de gris pour représenter le monde

Le posemètre n'évalue pas une exposition; il mesure l'intensité d'un flux lumineux. A partir de cette donnée, le photographe détermine les éléments de son exposition et la façon dont il opère dépend de la manière dont il entend traduire ce qu'il voit : une scène comprenant de multiples couleurs aux luminosités variées et qui toutes seront transformées en gris de diverses valeurs. Souhaite-t-il qu'une façade très éclairée ressorte en tache blanche ou qu'elle apparaisse en gris clair et en laissant percevoir un peu de sa texture? Quelle luminosité désire-t-il donner aux nuages? Veut-il que la photographie reproduise toutes les nuances?

A ces questions, la lecture du posemètre ne fournit pas automatiquement les réponses qui conviennent. Les renseignements qu'il donne exigent une étude interprétative de l'exposition (qui impliquera souvent l'emploi de filtres). Cette analyse de l'exposition se révèle assez simple, à condition d'utiliser le « système des zones » mis au point par le réputé photographe californien Ansel Adams.

Le système d'Adams appelle l'emploi d'une « échelle des gris », semblable à celle présentée sur la page opposée (que l'on peut se procurer chez tous les négociants de matériel photographique.) Ces 10 diverses valeurs de gris donnent une idée de cette échelle imprimée. Ces zones peuvent être comparées — de mémoire ou en utilisant l'échelle — aux diverses valeurs des éléments de la scène à photographier. On règle alors l'exposition de façon que sur la pellicule ces éléments ressortent dans les zones désirées.

Ces zones sont numérotées de 0 (un noir profond résultant de l'exposition nulle de la partie intéressée du négatif) à 9 (un blanc correspondant à une région du négatif d'une grande opacité). Dans cette échelle, entre deux zones successives (à partir du nº 1), il y a doublement de l'exposition, autrement dit accroissement d'une division de l'ouverture du diaphragme. Dans une scène ordinaire, la teinte moyenne correspond à un gris moyen (zone 5) ; dans une photo normale, elle ressort dans cette même gamme de gris (zone 5). Les posemètres à lumière réfléchie sont étalonnés pour obtenir ce rendu de la teinte moyenne; ils indiquent des expositions permettant de reproduire dans la zone 5 toutes les intensités lumineuses mesurées. Les détails ne seront visibles que dans les zones moyennes, comprises entre 3 et 7.

L'illustration de la page opposée, sur laquelle des numéros indiquent la valeur de la zone des diverses régions du sujet, montre comment ce système facilite la détermination de l'exposition. Les légères ombres sous les ponts relèvent de la zone 5, et la lecture avec un posemètre à lumière réfléchie aurait indiqué l'exposition adoptée. Cette exposition a permis d'obtenir les détails dans la région de la bâche en toile (zone 2), mais donne à l'escalier une valeur trop claire (zone 9) et l'image de la coque réfléchie par l'eau est trop sombre (zone 1). Supposons que dans la zone 1 du reflet de la coque, un détail ait paru essentiel, en adoptant une ouverture d'une division supérieure, le photographe aurait décalé la photographie d'une zone sur l'échelle des gris, permettant à quelques petits détails de devenir visibles. Cependant, toutes les autres zones seraient rendues plus lumineuses dans la même proportion; ce décalage ferait peut-être disparaître la zone 0 et la surface de la cloison de zone 8 se confondrait avec l'escalier qui se trouve en zone 9.

Cette photographie est parfaitement détaillée. Sa somptueuse gamme de valeurs (de 0 à 9) lui apporte le contraste des valeurs extrêmes, mais aussi le bénéfice de riches nuances dans les zones moyennes où, pour la majeure partie, les détails se trouvent facilement reproduits. Généralement, le photographe vise à obtenir ce rendu de toute la gamme de valeurs, car il lui permet tout simplement de disposer d'un plus grand nombre de gris utilisables. Cependant, dans certaines scènes, seules quelques valeurs présentent de l'intérêt et il suffit donc de les reproduire. Le système des zones peut être utilisé pour interpréter les lectures du posemètre, dans l'un et l'autre des deux cas.

DAVID VAN DEVEER : *Bateau d'excursion,* 1968

Éclairement doux et éclairement violent

MICHAEL SEMAK : *Village italien,* 1962

Pour saisir l'atmosphère que dégage une scène baignée dans une lumière douce, ou pour présenter les spectaculaires contrastes de lumières violentes et d'ombres profondes, le photographe limite souvent d'une façon très stricte la gamme des valeurs de l'image. Afin de réaliser la photographie présentée ci-dessus, un prêtre solitaire dans la rue, estompée par la brume, d'un village proche de Rome, le photographe Michael Semak a volontairement ignoré les gammes supérieures et inférieures de l'échelle des gris et a fait porter tous ses efforts sur les zones intermédiaires — de 4 à 7. Dans cette photographie aux éclairements violents, représentant un homme sur le ferry-boat de l'île Staten dans la baie de New York *(page opposée)*, le photographe Neal Slavin a omis toutes les zones moyennes et ne s'est servi principalement que des zones extrêmes — c'est-à-dire des zones 0 et 1, et 8 et 9.

Chaque fois, le photographe a sacrifié le détail afin d'obtenir les effets désirés. Dans la photographie de la rue du village, les arbres, à l'exception de celui du premier plan,

Souhaitant obtenir un négatif sous-exposé, Michael Semak détermina l'exposition en fonction de l'intensité lumineuse moyenne de l'ensemble de la scène ; plutôt que de s'intéresser à l'intensité lumineuse d'un objet sombre, et pour traduire la tache lumineuse du brouillard, il adopta une luminosité correspondant aux zones moyennes 6 et 7 de l'échelle des gris. Utilisant un appareil photographique Pentax, chargé d'une pellicule Ilford FP4, de 125 ASA, il choisit comme élément de l'exposition une ouverture de f/5,6 et un temps de pose de 1/125.

NEAL SALVIN : *A bord du ferry-boat de l'île de Staten,* 1967

ne sont que fantomatiques; pour le ferry-boat, le détail est un peu plus prononcé, mais le mur est noir et les baies du navire n'offrent aucune vision de l'extérieur. Dans ces deux cas, les photographes auraient pu utiliser un plus grand nombre de zones de l'échelle des gris et arriver à un résultat analogue en éliminant les zones indésirables au tirage. Toutefois, l'effet est meilleur si ce résultat peut être enregistré au stade du négatif. Semak se contenta de mesurer l'intensité de la lumière réfléchie par la brume, tout en sachant que l'indication obtenue serait trop faible pour enregistrer les détails des zones les plus sombres de la scène; de la sorte, il produisit ce que l'on considérerait normalement comme un négatif sous-exposé. De son côté, Slavin décida également de sous-exposer son négatif et il calcula l'exposition en fonction de l'intensité lumineuse des régions les plus éclairées, en l'occurrence les fenêtres. Grâce à leur grande expérience, ces deux photographes surent prévoir les effets que la sous-exposition produirait sur le négatif et dans les deux cas les résultats furent excellents.

Désireux de limiter la gamme des teintes et peu soucieux d'obtenir des détails, Neal Slavin régla son exposition de façon que les fenêtres ressortent en blanc zone 9 et que toutes les ombres où régions dépourvues de caractère particulier se traduisent en noir zone 0. Seuls une partie du banc et les vêtements de l'homme relèvent des zones moyennes. Il opéra au 1/125e de seconde, avec une ouverture de f/11, grâce à une pellicule Tri-X de 400 ASA, équipant un Leica M2.

Plus de lumière pour davantage de valeurs

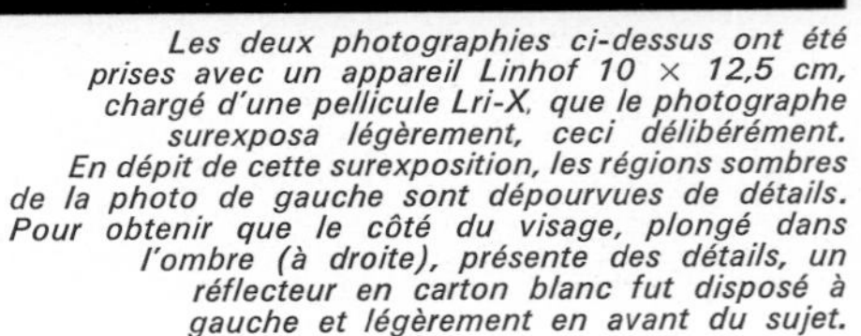

Les deux photographies ci-dessus ont été prises avec un appareil Linhof 10 × 12,5 cm, chargé d'une pellicule Lri-X, que le photographe surexposa légèrement, ceci délibérément. En dépit de cette surexposition, les régions sombres de la photo de gauche sont dépourvues de détails. Pour obtenir que le côté du visage, plongé dans l'ombre (à droite), présente des détails, un réflecteur en carton blanc fut disposé à gauche et légèrement en avant du sujet.

Dans certaines conditions, il faut employer un réflecteur ou un éclairage supplémentaire, afin d'élargir la gamme des valeurs et d'accroître le rendu des détails dans les ombres. Dans le portrait ci-dessus à gauche, la partie très éclairée du visage est bien exposée, mais l'autre moitié est si sombre — zone 2 — que tous les détails se trouvent perdus. Avec un réflecteur en carton blanc, les régions les plus sombres reçoivent de la lumière (un éclairage de zones moyennes) qui permet de faire ressortir un grand nombre de détails.

L'utilisation de réflecteurs ne saurait résoudre le problème que pose la scène de la page opposée. L'emploi d'une petite ouverture était souhaitée par le photographe, afin d'obtenir une grande profondeur de champ et une bonne mise au point dans les diverses régions ; l'éclairement de la pièce n'était suffisant que pour les régions de hautes lumières *(ci-contre, en haut).* Une lampe-éclair disposée sur la gauche de l'appareil fournit un appoint de lumière qui permet d'amener la majeure partie des régions dans les zones moyennes de gris souhaitées *(ci-contre, au centre) ;* du même coup, les régions très lumineuses deviennent trop brillantes. Pour la photographie du bas de la page, sans modifier l'éclairage, le photographe a adopté une plus grande vitesse d'obturation, assombrissant les zones de gris les plus claires de façon à faire ressortir des détails. Ce processus assombrit les teintes des autres zones, mais un nombre suffisant de ces zones appartient encore aux valeurs moyennes des gris, ce qui permet de conserver les valeurs dans les détails recherchés.

Dans cette séquence de photographies, celle du haut a été prise sans modification de l'éclairement normal de la cuisine (temps de pose : 2 secondes, ouverture de f/8 avec une pellicule Kodak Plus-X de 160 ASA et une chambre Calumet 10 × 12,5 cm). On ne perçoit clairement un détail quelconque que dans les parties les plus éclairées de la scène, autrement dit dans les zones de gris les plus élevées en haut et au centre à droite. Avec l'appoint d'une lampe-éclair, la même exposition illumine les détails dans l'ensemble de la scène (photo au centre), mais les régions très lumineuses se trouvent décalées dans l'échelle des gris jusqu'à des zones si élevées que dans ces régions les détails sont blanchis au point de disparaître. Cet inconvénient a été corrigé en ramenant le temps de pose à 1 seconde et, sur la photographie présentée en bas de page, les détails sont visibles, tant dans les régions éclairées que dans les régions sombres.

L'emploi des filtres modifie les valeurs

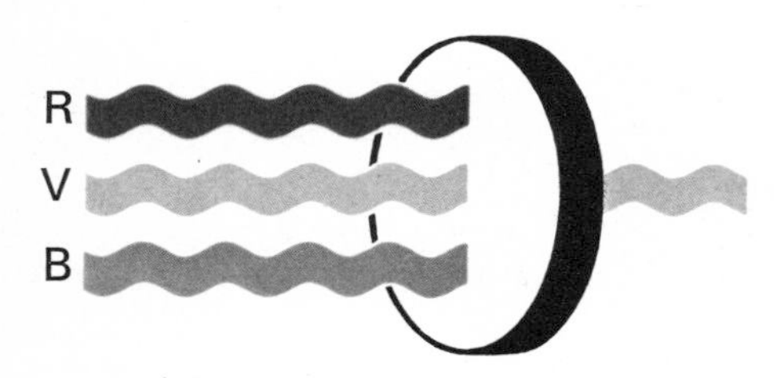

Le filtre vert *qui a été utilisé pour prendre la photographie présentée ci-dessus à droite assombrit la majeure partie de la couleur rouge, mais ne modifie pas la couleur verte qui donne une apparence naturelle aux pommes dont le rouge semble plus sombre que le vert des feuilles. Sans le filtre, ces teintes paraissent similaires et ont tendance à se confondre (ci-dessus, à gauche). Pour compenser l'absorption de la lumière par le filtre, on adopte une ouverture de 2²/₃ divisions de diaphragme au-dessus de l'ouverture normale.*

La photographie en noir et blanc traduisant en gris de diverses luminosités le monde vu par l'objectif, les spectaculaires oppositions de couleurs de la nature sont souvent indiscernables sur la photographie. L'œil humain distingue aisément les pommes rouges se détachant sur un fond de feuilles vertes, mais la photographie représente les pommes et les feuilles en leur attribuant pratiquement les mêmes valeurs de gris *(ci-dessus, à gauche).* Les filtres colorés sont utilisés pour obtenir une séparation des valeurs qui soit assez proche des contrastes de couleurs offerts par la nature.

Les objets ont une couleur parce qu'ils réfléchissent partie de la lumière « blanche ». De même, les filtres absorbent certaines des couleurs contenues dans la lumière et laissent passer les autres. Lorsqu'on photographie à travers un filtre vert *(ci-dessus, à droite)* des pommes et des feuilles, les pommes se trouvent considérablement obscurcies, autrement dit moins exposées que les feuilles ; en effet, le filtre absorbe une partie de la lumière rouge réfléchie par les pommes, mais permet à la lumière verte réfléchie par les feuilles d'impressionner la pellicule.

Pour un rendu des valeurs donnant un effet naturel, on emploie souvent des filtres verts ; ils modifient la sensibilité de la pellicule pour le rouge et les différences relatives entre ces deux couleurs sont plus près de celles que perçoit l'œil humain. Pour contrôler la sensibilité des couleurs tirant sur le bleu, on emploie des filtres rouges ou jaunes, en particulier lorsqu'on cherche à bien rendre les valeurs du ciel. Les pellicules sont si sensibles aux rayons bleus et aux rayons ultraviolets que même un ciel bleu sombre provoque sur le négatif une densité pratiquement aussi importante qu'un ciel blanc ; photographiés sans filtre, le ciel et les nuages se confondent presque *(ci-contre, à gauche).* En utilisant un filtre jaune, le ciel se trouve assombri et les nuages dus aux fumées deviennent visibles *(ci-dessus, à droite).* On peut accroître davantage encore le contraste entre les nuages et le ciel en utilisant un filtre rouge, qui absorbe presque toute la lumière bleue *(en bas, à droite).*

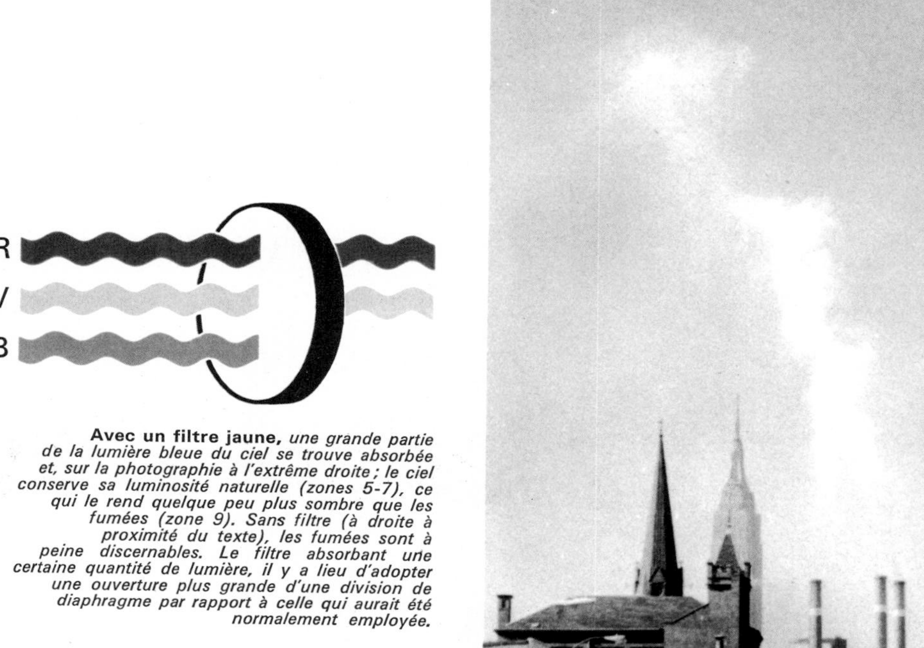

Avec un filtre jaune, *une grande partie de la lumière bleue du ciel se trouve absorbée et, sur la photographie à l'extrême droite ; le ciel conserve sa luminosité naturelle (zones 5-7), ce qui le rend quelque peu plus sombre que les fumées (zone 9). Sans filtre (à droite à proximité du texte), les fumées sont à peine discernables. Le filtre absorbant une certaine quantité de lumière, il y a lieu d'adopter une ouverture plus grande d'une division de diaphragme par rapport à celle qui aurait été normalement employée.*

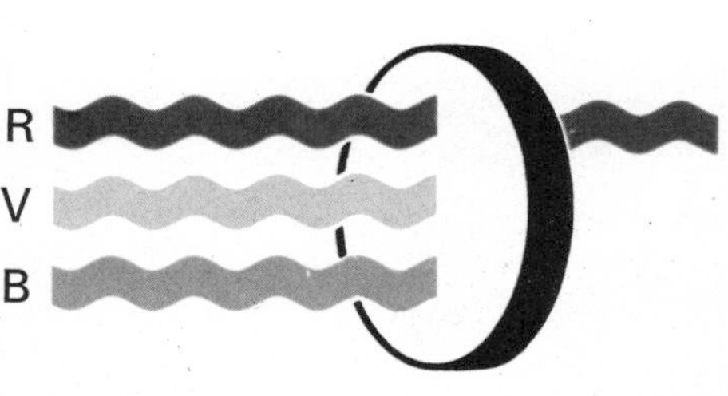

Avec un filtre rouge, *la totalité ou presque de la lumière bleue et de la lumière verte se trouve absorbée et, comme on le voit sur la photographie à l'extrême droite, le ciel est très obscurci (zone 3) par rapport à son apparence réelle ; les feuilles et le sable se trouvent aussi assombris. Les ombres paraissent également plus noires que sur la photographie prise sans filtre (à droite à proximité du texte) car leur éclairement provient en partie des rayons de la lumière bleue du ciel, qui est absorbée par le filtre rouge. Parce qu'un tel film absorbait une grande quantité de lumière, la photographie a été réalisée avec une ouverture plus grande de trois divisions de diaphragme par rapport à celle qui aurait été normalement employée.*

L'élimination des valeurs à l'aide des filtres

Les miroitements de la lumière dans l'eau ou sur du verre *(ci-dessous à gauche)* fournissent des reflets parfois à supprimer. Ces reflets peuvent être neutralisés parce que la lumière qui les compose a des caractéristiques particulières : elle est polarisée. Les ondes lumineuses ont une direction de vibration qui fait un certain angle avec la direction de propagation, alors que l'onde lumineuse normale possède de multiples directions de vibration *(pages 20-21)*. On contrôle ces ondes lumineuses avec un filtre absorbant la direction de vibration intéressée, et en même temps les reflets *(ci-dessous, à droite)*.

Un filtre polarisant contient des cristaux microscopiques disposés en lamelles parallèles. Les ondes lumineuses ayant une direction de vibration parallèle à ces lamelles passent dans les intervalles qu'elles forment ; les autres ondes lumineuses sont arrêtées par les cristaux, comme on le voit sur le schéma à droite. La lumière polarisée étant constituée d'ondes lumineuses possédant toutes la même direction de vibration, on peut orienter le filtre pour l'éteindre. Un tel filtre arrête certaines des ondes lumineuses de l'ensemble du flux lumineux émanant de la scène à photographier ; il ne s'agit là que d'ondes lumineuses ayant la direction de vibration intéressée et le reste de la lumière traverse le filtre.

Pour trouver l'orientation convenable de son filtre, le photographe regarde la scène à travers le filtre en le faisant pivoter jusqu'à obtenir la disparition des reflets. En conservant la même orientation, il dispose le filtre devant l'objectif. (Avec un appareil reflex mono-objectif, le filtre peut être orienté alors qu'il est déjà en place sur l'objectif.) En raison de la diminution partielle de la luminosité due au filtre, on adoptera une ouverture plus grande d'une division.

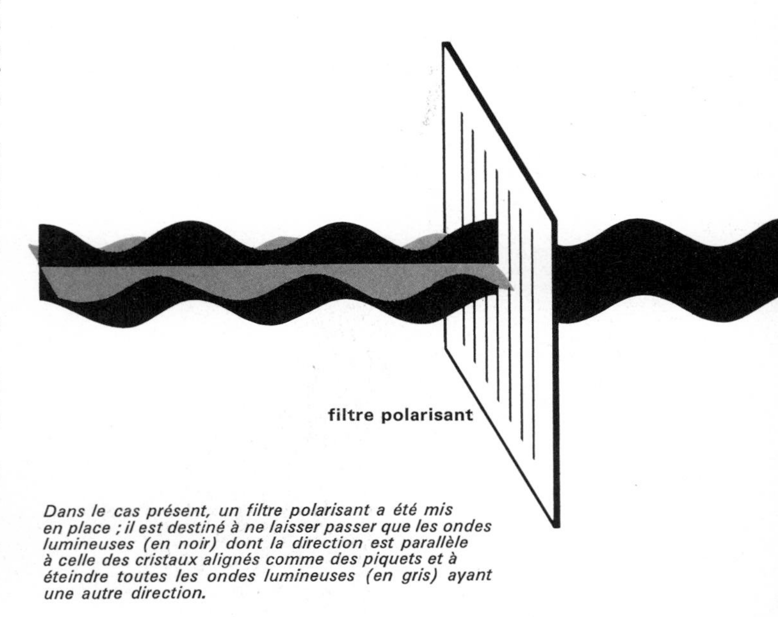

Dans le cas présent, un filtre polarisant a été mis en place ; il est destiné à ne laisser passer que les ondes lumineuses (en noir) dont la direction est parallèle à celle des cristaux alignés comme des piquets et à éteindre toutes les ondes lumineuses (en gris) ayant une autre direction.

6 L'emploi de la lumière artificielle en photographie

Les techniques fondamentales de l'éclairage 182

La magie des floods et des flashes 200

HOWARD HARRISON : *Lampes-floods, spots, réflecteurs,* 1968

Les techniques fondamentales de l'éclairage

Avec les derniers progrès des pellicules à haute rapidité et des objectifs, aucun photographe n'a besoin d'attendre qu'il fasse plein jour pour prendre ses photos. Même le simple éclairage d'une lampe dans une pièce suffit pour obtenir de saisissants clichés *(page 184)*. Mais, dans la plupart des cas, l'appoint d'une source lumineuse supplémentaire peut rendre le sujet nettement plus visible, faire ressortir les détails des régions plongées dans l'ombre, apporter une impression tridimensionnelle ou obtenir des effets spectaculaires très spéciaux. Pour arriver à ces fins, le photographe dispose aujourd'hui d'un vaste déploiement de techniques et de nouveaux équipements qui vont du flash-cube, que l'on emboîte sur l'appareil photographique, jusqu'aux ensembles de dispositifs utilisés par les photographes de presse sophistiqués pour illuminer un stade la nuit ou simuler quelque scène d'incendie au flanc d'une colline *(pages 200-220)*.

Ces sources lumineuses résultent de plus d'un siècle d'efforts et de recherches pour permettre aux photographes d'opérer n'importe quand, à l'intérieur comme à l'extérieur. Dans les temps héroïques, s'assurer suffisamment de luminosité d'une nature quelconque pour obtenir une image à peu près reconnaissable constituait pour le photographe un problème particulièrement déroutant. Tout au début de la photographie, seul le soleil — et encore fallait-il que ce fût un beau soleil — fournissait une solution acceptable ; on procéda à toutes sortes d'expériences pour tenter d'écourter l'atroce longueur du temps de pose et pour permettre d'effectuer des portraits photographiques en intérieur ou par ciel gris. Parmi les premiers dispositifs efficaces du genre, il faut mentionner la lumière oxhydrique, brillante incandescence d'un disque de chaux vive, chauffé par un intense jet d'un mélange d'oxygène et d'hydrogène ; ce procédé connut son heure de gloire avec les projecteurs qui, sur les scènes des théâtres du XIXe siècle, éclairaient les faits et gestes de tel ou tel acteur. Vers 1850, on s'aperçut que la combustion de fils de magnésium produisait une lumière très brillante, similaire à la lumière solaire. Très vite, les photographes ne tardèrent pas à profiter des éclairs de magnésium pour photographier les étonnantes visions que présentaient les galeries des mines anglaises, les Mammoth Caves du Kentucky, voire la Grande Pyramide en Égypte. Les épaisses volutes de fumée blanche que produisait le magnésium obligeaient les photographes à demi asphyxiés à regagner l'air libre, après avoir pris une ou deux photos tout au plus. Après 1880, dans la plupart des cas, les photographies réalisées à la lumière artificielle le furent grâce à la poudre-éclair, un mélange détonnant à base de magnésium finement écrasé, de chlorate de potasse et de sulfure d'antimoine ; ce produit était aussi efficace que dangereux. Son emploi comportait toujours des risques d'incendie et plus d'un photographe, plus d'un assistant furent brûlés vifs ou perdirent la vue à la suite d'explosions accidentelles.

Il faudra attendre 1930 pour que la photographie au flash devienne d'un emploi aussi sûr que simple, et de cette époque date la première production massive de lampes-éclair ; elles ressemblaient à des ampoules électriques ordinaires mais contenaient des feuilles d'aluminium froissées et de l'oxygène, constituants mis à feu par une pastille amorce commandée par une pile. Les ampoules type AG, de la taille d'une cacahuète, que l'on utilise de nos jours, représentent une miniaturisation obtenue au terme de nombreuses années de recherches ; ces ampoules sont remplies de très fins fils de zirconium. Ces lampes-éclair constituent et de loin la forme de source de lumière artificielle la plus appréciée des photographes amateurs ; elles sont peu coûteuses et d'un emploi facile, surtout en ce qui concerne les flashes-cubes, qui contiennent quatre petites lampes-éclair, chacune équipée de son réflecteur, le tout incorporé en un seul bloc et permettant la prise

L'intensité lumineuse de la lumière artificielle décroît rapidement avec la distance. A 30 cm de l'ampoule électrique que l'on voit ci-dessus, un instrument de mesure reçoit une illumination de 125 « foot-candles » ; à 60 cm, l'intensité de la lumière est réduite à 1/4, soit environ 32 f. c. ; à 90 cm, elle tombe à environ 16 f.c. En fait, l'illumination est inversement proportionnelle au carré de la distance de la source au point considéré.

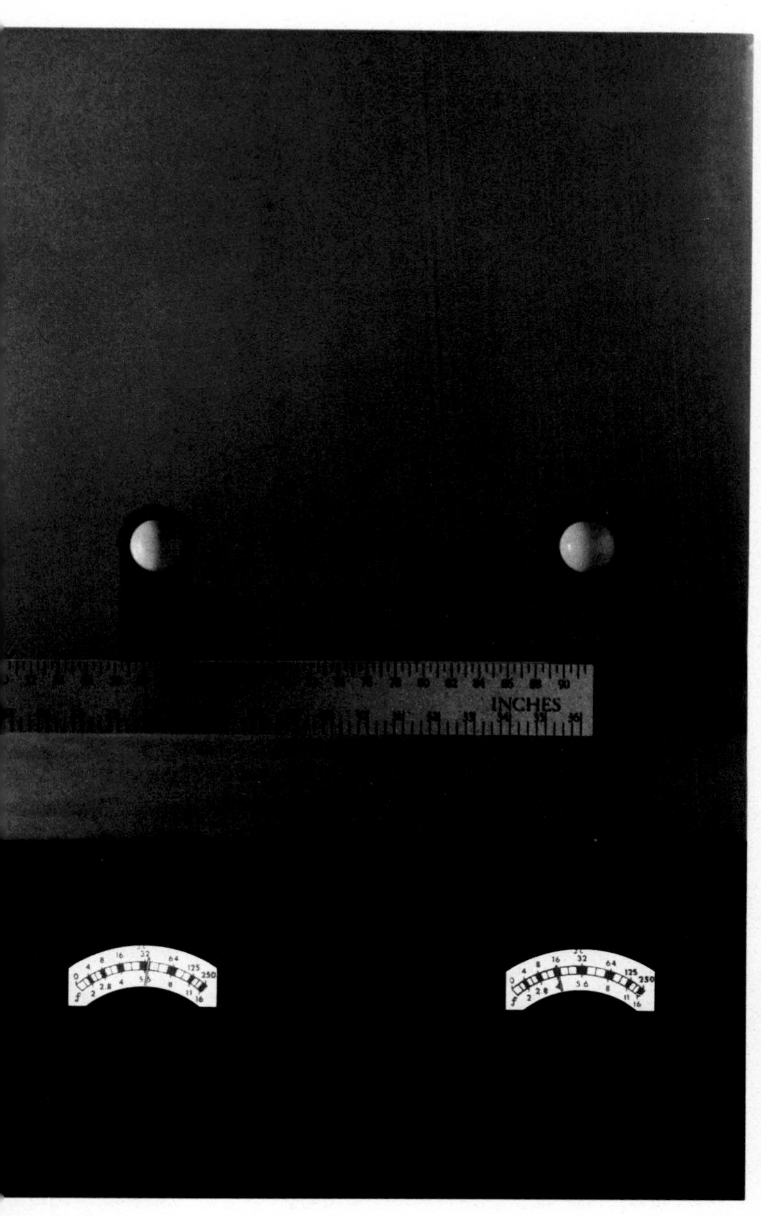

successive de quatre photos. Les flashes-cubes et les lampes-éclair sont souvent montés directement sur l'appareil photographique ; si une telle disposition a l'inconvénient de ne pas permettre le choix de la direction de l'éclairage, cette limitation peut être très facilement surmontée et le photographe obtient sans grande difficulté des résultats satisfaisants *(pages 186-187).*

Brillant cousin de la lampe-éclair, le flash électronique *(pages 190-191)* fournit une source lumineuse encore plus pratique et plus souple d'emploi. Le flash électronique produit également un éclair, mais peut récidiver tant qu'il est alimenté en courant ; il est d'un emploi encore plus facile que la lampe-éclair et il est plus économique pour le photographe qui prend quelques douzaines de photos par an. Le principe du flash remonte en fait aux débuts de la photographie ; en 1851, William Henry Fox Talbot, ce vaillant pionnier, fixa une page du *Times* de Londres à une roue animée d'un mouvement de rotation et réussit à en obtenir une image visible sur une de ses plaques relativement frustes, grâce à une étincelle fournie par une batterie de bouteilles de Leyde (condensateurs).

Aujourd'hui, la lueur fulgurante du flash rappelle moins la simple étincelle que l'éclair de la foudre. Un courant électrique fourni par une batterie ou une prise murale est porté à une tension élevée — parfois de l'ordre de 4 000 volts dans certains flashes — et cette électricité se trouve emmagasinée dans le condensateur du flash. Lorsqu'on commande la décharge, l'étincelle jaillit entre les deux électrodes situées aux extrémités d'un tube rempli de certains mélanges gazeux, à base de crypton et de xenon, par exemple. Cette décharge rend incandescents ces gaz et la lumière émise est assez proche de la lumière solaire. La décharge est si brève — 1/250 000e de seconde, voire plus brève encore dans certains flashes spéciaux — que l'éclair peut être utilisé pour figer l'image de certains déplacements rapides. A propos de flash électronique, on parle parfois d'éclair stroboscopique, réminiscence du temps où ce dispositif, alors d'invention récente, était utilisé comme stroboscope, autrement dit comme source lumineuse aux éclats répétés à un rythme contrôlable, et servait à l'étude des mécanismes animés d'un mouvement rapide de rotation. Les flashes électroniques utilisés en photographie à l'heure actuelle ne sont pas stroboscopiques ; ils produisent un éclair unique chaque fois que l'on actionne l'obturateur de l'appareil photographique.

La brièveté de l'éclair du flash électronique a des avantages et des inconvénients ; la lumière produite est difficile à contrôler. Bien des photographes préfèrent utiliser des lampes-floods ou des spots, ces petits projecteurs à faisceau dirigé. Leur flux lumineux constant est facilement réglable, de telle sorte que le schéma de l'éclairage — l'intensité lumineuse et la localisation des régions éclairées et des ombres — puisse être modifié à volonté. L'équipement d'un tel éclairage n'a pas besoin d'être très compliqué ; dans bien des cas, les ampoules comportent des réflecteurs incorporés, qui concentrent ou étalent les faisceaux lumineux ; des douilles sont munies de pinces, qui s'adaptent sur les étagères ou sur les moulures, ce qui permet de placer ces ampoules partout où on en a besoin. (De plus, il peut être judicieux de posséder un pied, permettant au photographe de placer son appareil dans une position bien déterminée tandis qu'il procède à la distribution et au réglage des éléments de l'éclairage. L'emploi du parasoleil est également recommandé ; il permet de mettre l'objectif à l'abri du flux lumineux direct des lampes qui peut engendrer des reflets.) Les principes fondamentaux qui commandent l'agencement d'un tel éclairage sont simples *(pages 194-195 et 198-199)* et, avec un peu de pratique, on apprendra vite à en créer d'agréables susceptibles de donner d'excellents résultats.

Utilisation de l'éclairage existant

ELIANE GEHRI : *Un homme buvant du café*, 1947

Dans un monde qui utilise à profusion la lumière artificielle, l'éclairage existant est souvent suffisant pour prendre des photographies. Avant d'employer un flash ou une lampe-flood, le photographe doit examiner soigneusement la scène. En utilisant l'éclairage existant, il évitera d'avoir à mettre en place un équipement compliqué et il pourra mieux juger de la répartition des ombres et des régions de haute lumière ; il obtiendra une photographie plus naturelle.

Les deux photographies qui illustrent ces pages en apportent la preuve ; toutes deux ont saisi une atmosphère créée par la qualité de la lumière. Dans le premier cas, il s'agit de l'impression de solitude et de calme que dégage l'attitude de l'homme pensif, assis sous le chaud rayonnement d'une unique lampe à incandescence ; la seconde photo traduit l'apparence impersonnelle d'une station de métro new-yorkaise, éclairée par la froide clarté d'un éclairage fluorescent. Dans les deux cas, les sources lumineuses sont visibles et deviennent des éléments caractéristiques de la photographie.

GARY RENAUD : *Dans le métro,* 1965

Six manières d'utiliser un flash

Pour la plupart des photographes, la lampe-éclair ou le flash électronique monté sur l'appareil photographique constitue la source lumineuse la plus pratique, compte tenu de ses besoins d'éclairage. Pour peu qu'il suive les instructions relativement simples qui, sous forme de notice, accompagnent ces équipements, le photographe a pratiquement la garantie d'obtenir une photographie bien exposée. Le processus a un inconvénient grave : la photo obtenue est toujours plate ; le sujet n'a aucun relief et les détails sont blanchis par le brusque éclat de lumière projeté droit devant par l'appareil. (Les visages larges se trouvent encore plus élargis.)

La responsabilité de ce défaut n'incombe pas à ce mode d'éclairage mais à la façon dont on s'en sert. En employant de simples astuces, comme celles que nous présentons à droite, des résultats qui semblent plus naturels et donnent une impression de relief plus vivante peuvent être obtenus.

Ces techniques permettent de rendre n'importe quelle lumière artificielle plus proche, du point de vue de l'éclairement, de la lumière naturelle. Presque tous les éclairages naturels — qu'ils proviennent d'une fenêtre, d'un plafonnier ou d'une lampe ordinaire — éclairent le sujet par en haut, en conséquence les photographies les plus naturelles seront celles que l'on obtiendra avec un flash, braqué légèrement au-dessus de l'objectif et un peu de côté, ou dont la lumière est réfléchie de telle sorte qu'elle tombe sur le sujet. Cependant, la lumière naturelle, tant à l'intérieur qu'à l'extérieur, frappe rarement le sujet selon une unique direction ; en recouvrant le flash d'un écran qui diffuse sa lumière, qui la fait rebondir sur les divers murs, et éventuellement en ajoutant d'autres flashes, on parvient à donner à la lumière une qualité multi-directionnelle ; celle-ci engendre ces ombres douces, d'intéressantes textures, un relief, ces qualités si vivantes que recherchent les amateurs de photographie dans la plupart des cas.

1. Flash monté directement sur l'appareil : Dans la majorité des cas, les photographes, surtout quand ils désirent saisir un instant éphémère, préfèrent cette méthode à la fois rapide et simple, mais l'éclairement ainsi obtenu est très souvent plat et sans intérêt, au détriment des ombres et des détails afférents à la texture, qui apportent à une photographie de la franchise et de la vie.

4. Éclair réfléchi du flash : Pour obtenir un éclairement d'une douceur naturelle, qui détache bien les traits et les caractéristiques, le flash, qu'il soit indépendant ou non de l'appareil photographique, peut être orienté de façon que sa lumière ne parvienne pas directement au sujet, mais soit réfléchie par le plafond ou par un mur blanc, ou d'une couleur claire comme dans le cas présent.

2. Flash à éclairage diffus monté sur un appareil photographique : Pour obtenir des effets plus doux, on peut réduire la dureté et l'intensité de la lumière du flash en disposant par devant un écran diffusant en plastique ou plus simplement en le recouvrant d'un mouchoir. Cette précaution est particulièrement utile pour éviter de donner aux portraits en gros plan des traits d'une blancheur aveuglante.

3. Flash sans réflecteur : Dans le cas de certains flashes, le réflecteur peut être démonté ; la lumière est alors irradiée dans toutes les directions. Partie de la lumière atteint le sujet directement, mais la lumière réfléchie par les murs ou le plafond contribue à adoucir l'éclairage, en allégeant les ombres et en donnant de la profondeur à l'ensemble.

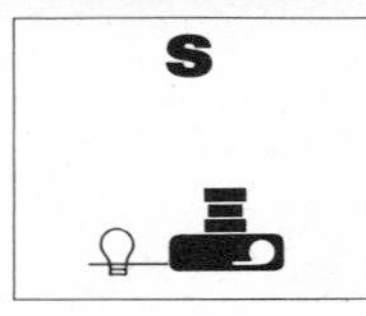

5. Flash indépendant : Lorsqu'on n'utilise qu'une seule source de lumière, le flash indépendant est particulièrement indiqué pour créer des ombres attrayantes et donner une impression tridimensionnelle. En l'occurrence, le flash est détaché de l'appareil ; on le tient à environ 50 cm au-dessus de l'appareil et légèrement à droite ou à gauche de ce dernier.

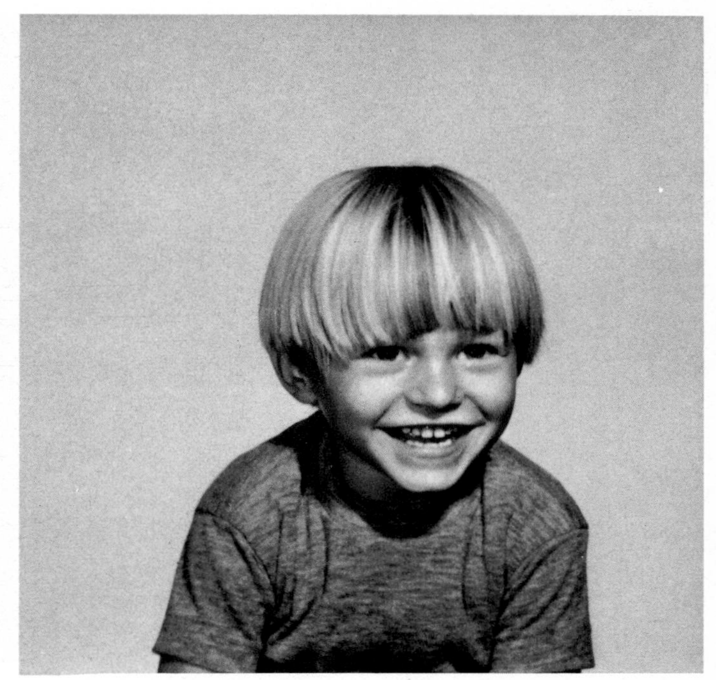

6. Ensemble de flashes multiples : Ce genre d'éclairage renforce au maximum l'effet tridimensionnel du sujet, en le faisant ressortir et en le détachant du fond. Dans notre exemple, l'éclairement principal est fourni par un flash en extension, disposé à droite de l'appareil, le deuxième flash illumine le fond tandis que le troisième flash monté sur l'appareil adoucit les ombres du visage.

Pour éviter les erreurs habituelles de l'emploi du flash

Sur cette photographie, une ombre portée indésirable prend visuellement autant d'importance que le sujet ; elle aurait pu être éliminée de la photo en orientant le flash de telle sorte qu'elle tombe derrière le sujet ou en dehors du champ de l'objectif ou, encore, en éloignant le sujet du fond.

Avant qu'il ne soit trop tard, il est difficile, surtout pour les débutants, de se faire une idée précise de l'éclairement que provoquera l'emploi du flash. Les ombres et les reflets engendrés par l'éclairage n'existent qu'à l'instant du déclenchement de la prise de vues et ils sont si fugitifs que l'œil a le plus grand mal à les saisir. Cependant, la pellicule les enregistre et, parfois, il en résulte des effets comme ceux que l'on découvre sur les photographies illustrant ces pages.

Les ombres posent un problème particulièrement délicat, surtout dans les portraits en gros plan, parce qu'elles sont très visibles principalement lorsque l'éclairage est fourni par un unique flash braqué sur le sujet (préféré à une lumière réfléchie.) Il est difficile d'obtenir des ombres distribuées naturellement, à moins de séparer de l'appareil photographique le système d'éclairage et de l'orienter avec le plus grand soin. Ceci implique que l'on dispose le flash sur un support indépendant, ou qu'un assistant le tienne pendant que le photographe opère.

Des reflets inattendus engendrés par la lumière du flash jaillissent souvent des surfaces brillantes : parties métalliques, vitres de la fenêtre, miroir *(à droite)*, meubles polis, panneaux muraux. Si le sujet porte des lunettes, les verres peuvent poser un problème ; les lunettes doivent être légèrement inclinées.

L'éclairage au flash implique dans le cas des pellicules couleur des précautions spéciales contre un phénomène particulier, l' « œil rouge ». Il s'agit d'un effet de réflexion de la lumière du flash à la surface de la rétine, un tissu particulièrement riche du point de vue de la circulation sanguine. Cet inconvénient peut être évité si le sujet détourne le regard de l'objectif.

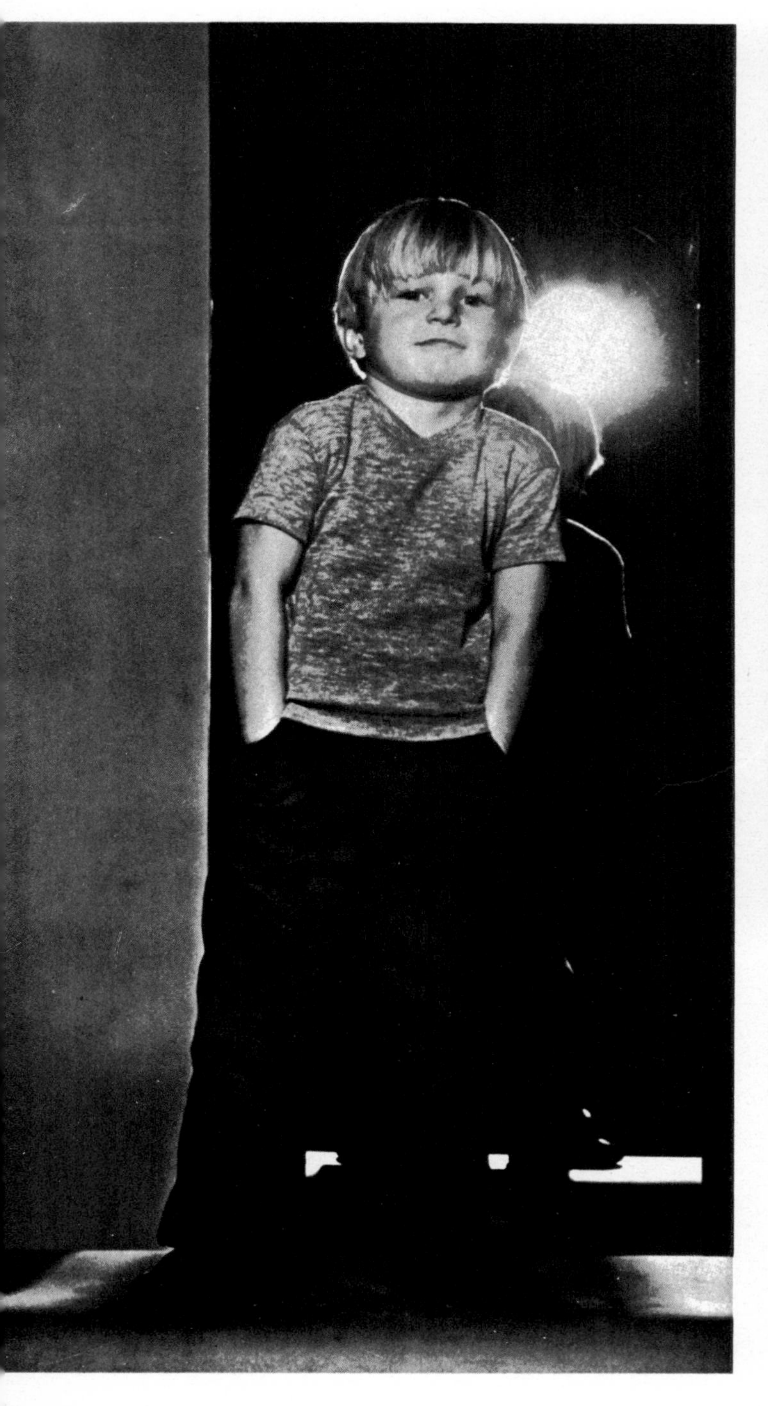

Disposé trop haut et trop près du sujet, un flash peut provoquer de profondes ombres artificielles, qui assombrissent le front, les yeux et le menton. Cette erreur de technique peut être aisément corrigée en abaissant le flash et en le déportant légèrement par rapport à l'appareil photographique.

Une surface réfléchissante située derrière le sujet — dans le cas présent il s'agit d'un miroir mural — renvoie à l'objectif l'image de l'éclair du flash et peut engendrer une « tache brillante » sur la photographie. Ce défaut sera évité en braquant le flash (halo) avec une certaine incidence par rapport à la surface réfléchissante.

Les vertus spéciales du flash électronique

Le flash électronique supprimant la nécessité de changer de lampe-éclair après chaque instantané, cet instrument est avant tout pratique. Les flashes présentent d'autres avantages ; ils se rechargent en quelques secondes, ce qui permet de les employer pour prendre des séquences de photos à une cadence rapide et enregistrer, par exemple, les attitudes et les expressions des enfants en train de jouer *(à droite)* ou les phases d'une partie de basket-ball. Du fait de la brièveté de son éclair — 1/500ᵉ à 1/1 000ᵉ de seconde pour un flash ordinaire —, le flash électronique est moins gênant pour l'œil que la lampe-éclair ; il surprend moins les enfants et les animaux. De plus, quelle que soit la vitesse d'obturation, l'éclair du flash électronique fige les mouvements les plus rapides. Avec le flash électronique, il est possible, même avec un appareil à vitesse d'obturation relativement lente, d'obtenir des résultats aussi excellents que l'image nº 15 dans cette séquence de photos. Toutefois, ce processus ne permettra pas d'obtenir une image très nette d'un objet animé d'un rapide mouvement si, dans l'éclairage du sujet, d'autres sources lumineuses ont une action importante ; lorsque la vitesse d'obturation est lente, la lumière ambiante peut engendrer sa propre image du sujet mobile, qui apparaîtra sur la pellicule sous la forme d'une image secondaire floue.

La qualité de l'image produite par le flash électronique offre également d'importants avantages. La couleur de cette lumière est très proche de celle de la lumière du jour et, par conséquent, le flash permet d'obtenir des résultats très naturels, tant en intérieur qu'en extérieur, avec des pellicules couleur type « lumière du jour ». Bon nombre de photographes pensent qu'un emploi approprié du flash électronique permet de faire ressortir les textures et de rendre des valeurs avec des nuances plus douces qu'avec la simple lampe-éclair.

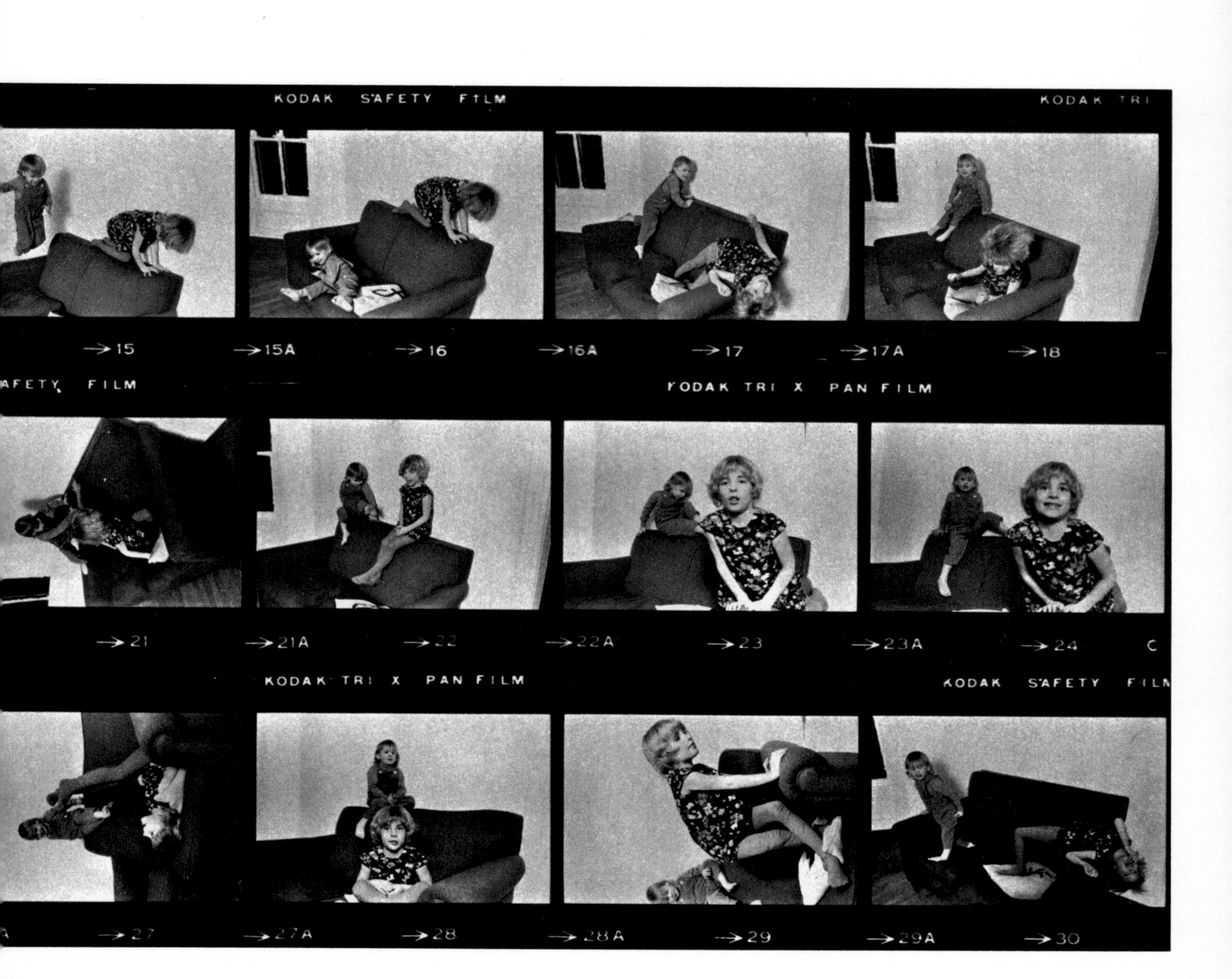
KODAK SAFETY FILM
KODAK TRI
→15 →15A →16 →16A →17 →17A →18
AFETY FILM
KODAK TRI X PAN FILM
→21 →21A →22 →22A →23 →23A →24
KODAK TRI X PAN FILM
KODAK SAFETY FILM
→27 →27A →28 →28A →29 →29A →30

Éclairage par floods ou par spots

Lorsque l'éclairage est faible, il n'est guère de lumière artificielle qui convienne mieux que le flash à la prise d'instantanés d'une grande franchise. Si la scène à photographier peut faire l'objet d'un arrangement, même simple, un dosage de l'éclairage des lampes-floods ou des spots permet au photographe de contrôler d'une manière précise sa prise de vues. On peut à volonté éteindre ou rallumer une quelconque source de lumière, processus qui permet d'analyser sur-le-champ les effets produits, déplacer les projecteurs, les lampes et les réflecteurs jusqu'à obtenir un éclairement satisfaisant. Le posemètre permet alors de déterminer avec précision l'exposition appropriée.

Il existe de multiples formes de projecteurs à faisceaux dirigés ou non qui vont du spot à la simple lampe-flood à réflecteur incorporé ; ces équipements permettent d'éliminer les

gros dispositifs d'éclairage trop encombrants. La lampe-flood est d'un emploi particulièrement répandu ; comme son nom l'indique, elle dispense un flot de lumière blanche et elle peut servir d'éclairage général dans la plupart des cas, qu'il s'agisse de scènes d'intérieur ou de véritables portraits en gros plan, comme celui du chat présenté ci-dessus à gauche. Le spot produit un faisceau concentré de lumière, qui engendre des zones de hautes lumières petites et lumineuses, des ombres plus sombres et aux contours nets ; ses effets sont plus spectaculaires. Quoique le spot puisse être utilisé comme unique source de lumière artificielle, comme dans la photographie présentée à droite, on l'associe généralement à un éclairage par lampe-flood et il sert alors à souligner telle caractéristique particulière du sujet ou à éclairer spécialement un fond, une coiffure.

La direction de l'éclairage permet d'obtenir des effets spéciaux

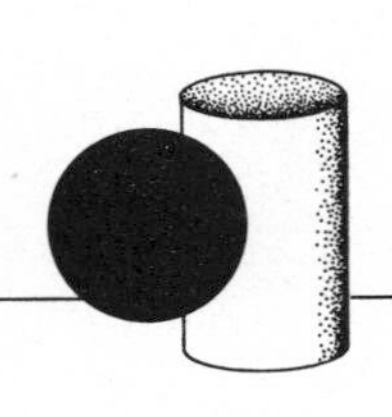

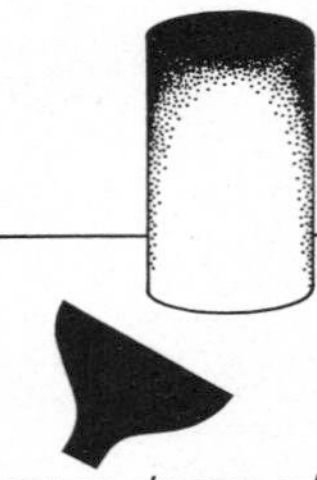

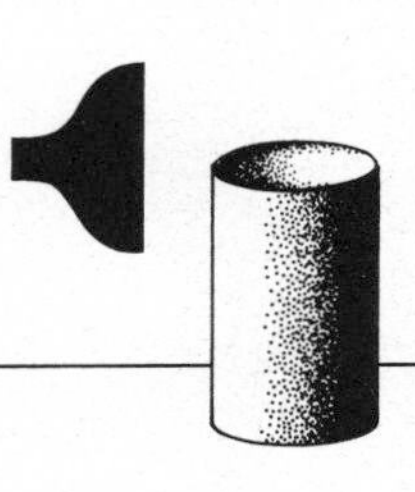

1. Éclairage de face : En disposant la source lumineuse tout près de l'appareil photographique (et légèrement à gauche), l'éclairement est direct, uniforme et assez plat ; il n'engendre que de minces ombres sans caractère sur la droite du nez et sur la partie droite du visage.

2. Éclairage par en dessous : Lorsque la lumière est dirigée de bas en haut, elle engendre sur le visage du sujet des ombres qui n'ont rien de naturel et qui lui donnent un air légèrement inquiétant. Dans certaines circonstances spéciales, on peut utiliser ce genre de lumière pour donner à la photographie un caractère mystérieux.

3. Éclairage latéral tombant à 45° : Une source principale, dont la lumière tombe à peu près à 45° sur le sujet a constitué de longue date le genre d'éclairage classique dans le cas du portrait photographique ; une telle lumière paraît naturelle à la plupart des personnes ; elle modèle les visages et leur donne une forme tridimensionnelle.

Dans cette série de six photographies, Henry Groskinsky montre comment le photographe, grâce à l'orientation de la lumière de la source principale, joue sur le caractère de l'image obtenue. Pour réaliser un portrait véritable, Groskinsky ne se contenterait sans doute pas de n'importe lequel de ces éclairages (il ne ferait vraisemblablement pas appel aux éclairages extrêmes que fournissent les positions 2 et 4 de la source principale.) Normalement, comme on peut le voir sur les pages suivantes, il ajouterait des réflecteurs ou des sources lumineuses secondaires, pour rendre moins sombres les ombres les plus profondes et faire ressortir des détails vivants, afin d'obtenir des effets plus équilibrés.

Cependant, une source principale est généralement nécessaire parce que nous sommes habitués à regarder les objets sous un éclairage de ce genre, que la lumière soit fournie par le soleil, par les fenêtres ou par les lampes d'une pièce. Lorsqu'une photographie est prise avec un éclairage constitué par plusieurs sources lumineuses d'égale importance dont les lumières et les ombres s'entrecroisent selon les directions des flux lumineux de chaque source, le résultat est assez déroutant.

La lumière naturelle nous éclaire sous une certaine incidence tout en venant d'en haut ; il est donc logique de placer la source principale de la lumière artificielle dans une position

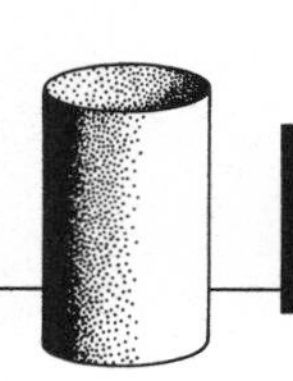

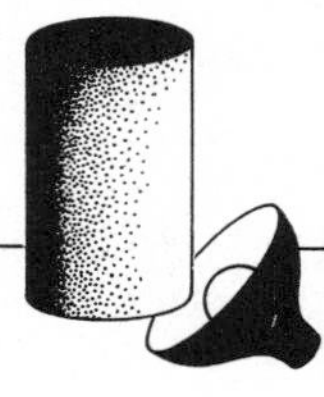

4. Éclairage vertical : Un éclairage placé presque verticalement au-dessus du sujet engendre des ombres profondes sous les orbites, sous le nez et sous le menton. En pratique, il faut éloigner la source lumineuse du sujet pour affaiblir les contrastes et rendre les yeux plus lumineux.

5. Éclairage latéral : Parfois appelé éclairage en « lame de couteau » parce que le visage du sujet paraît coupé en deux, ce genre d'éclairage peut être employé utilement pour accentuer le caractère d'un visage masculin aux traits tourmentés ou pour souligner la nature de la peau, la texture d'un tissu quelconque.

6. Éclairage partiellement en contre-jour : Une source lumineuse, disposée sur le côté et légèrement en arrière du sujet, fournit des effets encore plus spectaculaires. Si la source lumineuse était placée directement derrière le sujet, elle le ferait ressortir en le silhouettant et transformerait les cheveux en halo lumineux.

analogue. De très faibles changements de l'angle incident du flux lumineux peuvent modifier l'effet d'ensemble ; la position exacte de la source principale dépend donc du sujet et du genre d'interprétation souhaité.

Pour réaliser un saisissant portrait d'une très jolie jeune femme, certains professionnels font appel à un violent éclairage tombant à 45° et de face, une position intermédiaire entre celles des illustrations N° 1 et N° 4 —, parce que cet éclairage engendre une luminosité d'ensemble à la fois douce et vive (surtout si l'on prend la précaution de disposer sur la source de lumière un écran diffusant et placé assez haut pour donner sous les sourcils, les pommettes, les lèvres, le menton des ombres bien dessinées). Pour une femme possédant des traits moins parfaits, ces ombres peuvent être moins flatteuses ; on peut les adoucir en ajoutant une seconde source lumineuse, ou les éclairer partiellement en déplaçant la source principale.

Si l'éclairage vertical donne à l'image une atmosphère naturelle, de son côté l'éclairage latéral ou venant d'en bas engendre une ambiance mystérieuse et spectaculaire, du fait même de son caractère artificiel. Ainsi le portrait du patriarche au visage buriné peut être rendu très expressif grâce à un éclairage latéral — la position de la source lumineuse dans les figures N° 5 et N° 6 — qui fait ressortir les lignes accusées du nez, du menton ou encore les rides, ces facteurs de la personnalité.

L'emploi des réflecteurs pour modifier l'éclairage

Bien que l'on ait réalisé de très belles photographies en n'employant qu'une lampe-flood ou un unique spot, la plupart du temps l'éclairage artificiel requiert des arrangements qui permettent de réduire des contrastes trop heurtés, de faire ressortir des détails qui seraient noyés dans les ombres et de détacher le sujet du fond. Le processus le plus simple, le moins onéreux et souvent le plus efficace consiste à employer un écran réflecteur pour réfléchir la lumière et la renvoyer dans des régions qui en manquent.

Il existe de nombreux types d'écrans réflecteurs de formes et de structures variées. L'amateur n'a guère besoin que du plus simple des écrans réflecteurs plats, un morceau de carton d'environ 50 × 40 cm, avec un côté revêtu d'un apprêt blanc mat; l'autre côté peut être recouvert d'une feuille de papier d'aluminium, telle qu'on en emploie en cuisine; on aura eu soin de froisser la feuille puis de l'aplatir à nouveau. Le côté blanc épandra la douce lumière diffuse, qui convient pour éclairer les ombres lorsqu'on réalise un portrait ou que l'on photographie les natures mortes, voire d'autres genres de sujets. Le côté aluminium fournit une lumière plus « dure », qui a tendance à souligner les textures des diverses surfaces.

Sans écran réflecteur : Un unique diffuseur est disposé devant la tête sculptée de façon que la lumière tombe légèrement d'en haut et de côté (voir la petite photographie ci-dessus). L'éclairage fait ressortir des contours arrondis mais laisse le côté droit du visage caché par de fortes ombres.

Écran réflecteur blanc : Un morceau de carton plat à la surface blanc mat a été disposé à la droite de la tête ; il est maintenu grâce à un pied à pinces et orienté de façon que la lumière réfléchie vienne éclairer le côté droit du menton et la joue droite.

Écran réflecteur en feuille d'aluminium : Lorsqu'on tourne vers la source lumineuse le côté garni d'une feuille d'aluminium de ce même écran, la réflexion que produisent les multiples facettes de la feuille d'aluminium préalablement froissée engendre une lumière dure et étincelante, qui souligne à la fois la forme et la texture de la tête.

Les techniques fondamentales de l'éclairage : suite

L'emploi de plusieurs sources lumineuses

Un projecteur et des écrans réflecteurs ne suffiraient pas à rendre justice à la beauté d'un sujet comme la ballerine exécutant un croisé en avant *(présentée à droite)* avec ses bras tendus, sa tête penchée, la nature de sa peau s'opposant fortement à son costume presque aussi foncé que l'arrière-plan. Pour donner à chaque partie d'une semblable composition l'éclat qui lui faut, les photographes professionnels conçoivent généralement un ensemble de sources lumineuses, soigneusement disposées les unes et les autres à des fins particulières.

On commence par décider de la direction, de l'intensité et de la nature de la source de lumière principale. Dans le cas présent, le photographe a élaboré sa composition en fonction de l'ensemble des lignes et des mouvements des bras, du cou et des jambes de la danseuse. Une lampe-flood de 500 watts, disposée en hauteur à 45° sur le côté droit et en avant, détache avec bonheur toutes les parties de ce motif à l'exception du bras gauche que la danseuse lève. Cette partie essentielle est raccordée grâce à un éclairage d'appoint de 500 watts, disposé en avant et à gauche et dont la lumière tombe sur ce bras. Cette seconde lampe a l'avantage d'éclaircir les ombres créées par la source principale, de telle sorte que le visage, le cou et les jambes de la danseuse présentent des détails aux contours arrondis. Avec un tel éclairage, la danseuse ressemble encore à une silhouette de carton. Un spot de 500 watts, placé en hauteur sur la gauche et en arrière de la jeune fille, crée des points de haute lumière dans ses cheveux, sur les bords du haut des bras et du haut des cuisses, ce qui donne une impression de volume, tout en projetant une ombre nette perpendiculairement au corps pour souligner les dimensions horizontales et verticales. Enfin, pour lui donner sa véritable place dans l'espace de l'ensemble de la photo, une quatrième source lumineuse, un spot de 500 watts, est disposée derrière la danseuse et sur la droite, de façon à la détacher du fond.

une source lumineuse : établissement de la ligne générale

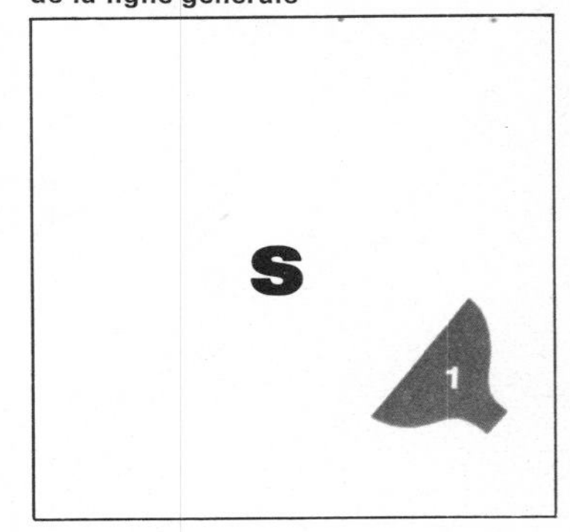

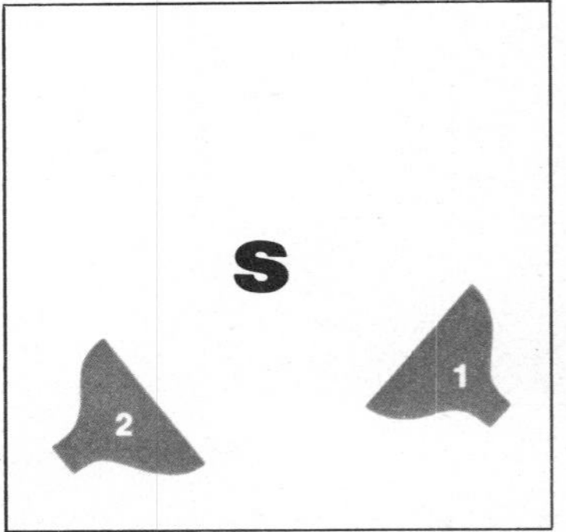

deux sources lumineuses : réalisation de la composition complète

trois sources lumineuses :
création du modelé

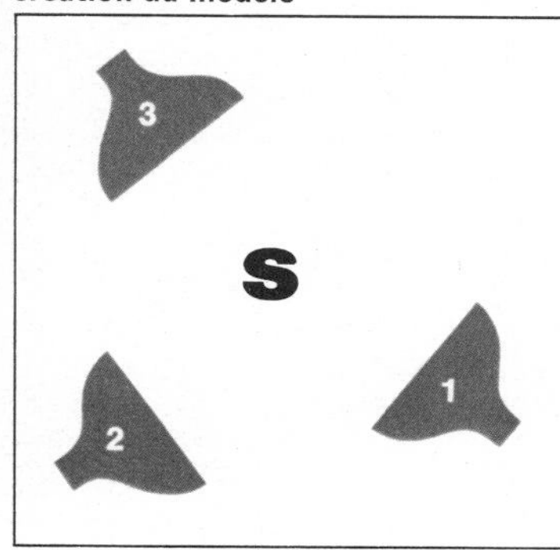

Pour la première photographie (page opposée en haut), le photographe a placé la source principale sur un pied, à 2,10 mètres du sol ; la seconde source lumineuse, l'éclairage d'appoint, a été disposée à hauteur de l'appareil photographique, soit à environ 1,20 mètre du sol. La troisième source, l'accent de lumière (en haut à gauche) est située derrière la danseuse, à environ 2,10 mètres du sol. L'éclairage du fond (à gauche, en bas), qui sert à détacher, le sujet du fond proprement dit, est réalisé par une source lumineuse située à environ 2,10 mètres du sol.

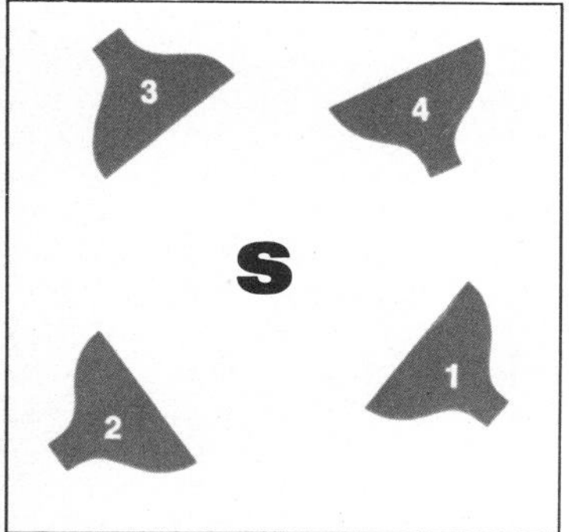

quatre sources lumineuses :
réalisation définitive

La magie des floods et des flashes

Aujourd'hui, grâce à un équipement très élaboré, le photographe a le monde à sa portée ; il peut de nuit illuminer tout un stade pour effectuer sa prise de vue, il peut éclairer les recoins les plus reculés de l'oreille interne. Les éclairages existants permettent également au photographe de transcender le monde réel pour créer un royaume où les notions de temps, de mouvement, d'espace acquièrent des dimensions nouvelles. Grâce simplement aux contours de la tête d'une homme *(à droite)*, l'objectif engendre une nouvelle vision de l'être humain.

L'illustration de la page opposée traduit un aspect extra-terrestre de la recherche en matière de vols spatiaux. En 1954, alors que le programme spatial américain n'en était encore qu'aux balbutiements, Ralph Morse, un photographe de LIFE, vécut pendant onze semaines en compagnie des ingénieurs de l'armée de l'air et il photographia certaines phases de leur travail pour préparer les astronautes à vivre dans des conditions d'apesanteur et de vie dans l'atmosphère proche du vide. Une suite d'expériences, conçues en vue d'étudier et de mettre au point les casques des astronautes, amena les ingénieurs à utiliser un « contouromètre », appareil destiné à mesurer les contours du visage et de la tête d'un grand nombre de types d'hommes. Cet appareillage à allure d'immense fer à cheval retourné (visible en haut de la photographie) était muni à sa partie inférieure d'une étroite fente, permettant d'éclairer la tête du sujet à l'aide d'une succession de flashes ; à mesure que l'équipage de cet appareil de mesure se déplace de l'avant de la tête vers l'arrière, ces bandes lumineuses soulignent les contours qui peuvent être enregistrés par un appareil photographique à des fins de mensuration.

Morse souhaitait saisir l'effet général produit en l'occurrence ; il comprit vite que l'éclairage, suffisant certes pour obtenir les enregistrements photographiques nécessaires aux mesures, possédait une intensité trop faible pour créer une photographie spectaculaire. Garnissant son Rolleiflex d'une pellicule à haute rapidité, il le disposa sur un pied et, après avoir obscurci la pièce, ouvrit le diaphragme pour une pose en plusieurs temps. Reculant l'équipage d'un centimètre à la fois et permettant au flash d'éclairer chaque point de plusieurs éclairs, il construisit son exposition. En dépit de ses laborieux efforts, la première photographie se révéla très sous-exposée.

« Nous nous acharnâmes à prendre photo sur photo, jusqu'à posséder en fin de compte une photographie suffisamment exposée », déclara Morse. Pour obtenir un éclairage satisfaisant, il nous fallut six flashes par point. La photographie définitive révéla une étrange forme humaine zébrée, qui semblait personnifier parfaitement ce monde fantastique et inconnu à la conquête duquel les astronautes n'allaient pas tarder à s'élancer.

RALPH MORSE : *L'homme de l'âge spatial,* 1954

L'ensemble d'une course en un simple coup d'œil

Appelé à couvrir les jeux de Millrose du Madison Square Garden de New York, Ralph Morse eut soudain l'idée de réaliser une triple exposition pour représenter la rapide course de 60 yards en montrant le début, le milieu et la fin de l'épreuve, le tout grâce à une seule photographie et en étirant le temps pour que des instantanés différents paraissent simultanés.

Pour réaliser cette photographie, Morse conçut un éclairage comprenant trois paires de flashes ; la première éclairait le départ, la seconde le milieu de la course, la troisième la ligne d'arrivée. Si ces trois groupes de flashes avaient déchargé leurs éclairs chaque fois que le photographe appuyait sur le déclenchement, autrement dit s'ils avaient été commandés par un unique circuit, leurs lueurs auraient blanchi les images des coureurs. Pour résoudre ce problème d'éclairage, Morse conçut un commutateur coupe-circuit spécial qui lui permettait, avec l'aide d'un assistant, d'actionner chaque paire de flashes indépendamment. Le rôle de l'assistant consistait à disposer le commutateur de façon à ne mettre en circuit avant le départ des coureurs que le premier groupe de flashes, puis à passer successivement sur le second avant que les coureurs n'atteignent le milieu du parcours, enfin à brancher le troisième avant que le gagnant ne se rue vers le fil. De la sorte, seule une paire de flashes jetait sa fulgurante lumière chaque fois que Morse actionnait le déclencheur de l'appareil.

Ayant disposé son éclairage et ses circuits, Morse s'installa avec sa chambre Deardorff sur une plateforme aménagée spécialement et qui dominait la piste. Utilisant une pellicule Kodak Super Panchro-Press type B, il régla l'appareil pour opérer au 1/400e de seconde, avec une ouverture de f/11 et bascula et décentra son objectif pour modifier la perspective et éviter une trop rapide convergence des couloirs de la piste.

Pour prendre l'ensemble de la photographie, Morse dut faire preuve d'une rapidité de réflexes presque égale à celle des coureurs ; en effet, il lui fallut actionner trois fois le déclencheur en l'espace des 6,2 secondes du temps de la course et opérer à chaque fois à l'instant précis où les coureurs pénétraient dans l'étroite région couverte par un nouveau groupe de flashes. Comme le montre la photographie présentée à droite, sa chronométrie se révéla pratiquement parfaite.

RALPH MORSE : *Une ruée sur 60 yards,* 1956

Surimpressions de sujets éclairés

Christopher Wren, l'architecte dont les constructions métamorphosèrent la ville de Londres après le grand incendie de 1666, avait le don de créer des formes harmonieuses. Lorsque Mark Kauffman, un photographe de LIFE, entreprit de réaliser une étude des célèbres églises construites par Wren, il traduisit l'harmonie de ces réalisations en assemblant en une seule photographie divers sujets, situés en des lieux très distants les uns des autres.

Kauffman commença par prendre des Polaroïds des diverses églises, qui lui permirent d'effectuer un montage préalable de sa photographie ; il découpa les clochers et, en les disposant sur une large feuille de papier, il rechercha la composition qui lui paraissait la meilleure. Ceci fait, il photographia avec une chambre Graphic de 10 × 12,5 cm l'imposant dôme de Saint-Paul, dont il entendait faire la construction centrale de sa photographie. En opérant au crépuscule, il parvint facilement à isoler le corps de l'église de son environnement. Il photographia ensuite sur le même plan-film Ektachrome B les autres églises mais, pour faire ressortir ces clochers plus petits et les isoler de leur environnement, afin qu'ils puissent se détacher de la masse du dôme central dans la photographie définitive, Kauffman se vit dans l'obligation de les éclairer les uns après les autres et d'opérer de nuit. Ce processus lui posa des problèmes qu'il n'avait pas prévus.

Pour que l'éclairage de ces clochers fût suffisant, il lui fallut employer plusieurs projecteurs d'éclairage de cinéma à faisceau dirigé de 10 000 watts, alimentés par une génératrice mobile. La police de Londres l'autorisa à disposer cet éclairage dans la rue, mais la densité du trafic et la foule des curieux rendirent son travail très difficile. Pour obtenir une prise de vues des tours bien dégagée en dépit des arbres et des toits environnants, Kauffman opéra du haut d'un de ces échafaudages mobiles qu'emploient les ouvriers municipaux. Chaque soir, Kauffman disposa donc son échafaudage mobile et son éclairage devant une nouvelle église mais, par deux fois, ses préparatifs se révélèrent vains du fait de l'épais brouillard qui s'abattit sur la ville. Lorsque les conditions s'y prêtaient et qu'il réussissait à obtenir une bonne exposition, Kauffman se hâtait de gagner un nouveau site, sur lequel il rencontrait parfois d'autres déboires. En fin de compte, il fut payé de sa peine : la photographie des sept clochers d'église que domine la masse imposante du dôme de Saint-Paul évoque parfaitement la « majesté architecturale » que Wren se fixait comme objectif.

MARK KAUFFMAN : *Les clochers des églises de Christopher Wren,* 1961

Des flashes pour faire revivre un incendie

L'incendie catastrophique qui, en 1961, balaya le quartier résidentiel de Bel Air à Los Angeles fit 50 millions de dollars de dégâts, laissa de nombreux grands acteurs sans domicile et créa un paysage de ville dévastée par un bombardement. Le photographe de LIFE Ralph Crane donna à cette vision de désolation une dimension supplémentaire grâce à un emploi intelligent d'un certain nombre de lampes-éclair, qu'il déploya de façon à suggérer l'immolation par le feu à la nuit tombée, en même temps qu'il révélait l'étendue des dégâts laissés par le feu dans son sillage.

Choisissant une crête dominant le flanc d'une colline dénudée par les flammes, Crane y installa deux appareils photographiques, un Speed Graphic 10 × 12,5 cm chargé d'un film Polaroïd destiné à lui fournir des expositions d'essai, et une chambre Linhof également de 10 × 12,5 cm, qui lui permit d'obtenir la photographie présentée à droite : dix expositions distinctes réalisées sur une même pellicule Ektachrome B. Porteurs chacun d'un appareil éclair à commande à main et les poches pleines de puissantes lampes-éclair n° 22, les deux assistants de Crane prirent position devant la rangée de maisons carbonisées. Un coup de sifflet leur indiquait qu'ils devaient avancer. Lorsqu'ils atteignaient un emplacement que le photographe souhaitait faire ressortir par l'éclairage, ce dernier, après avoir ouvert son objectif, donnait un second coup de sifflet pour demander l'allumage des lampes-éclair. (Les assistants sortaient du champ de l'objectif en se cachant dans les ruines.) Crane procéda à des prises de vues avec les deux appareils ; son travail achevé, il s'aperçut que l'épreuve Polaroïd comportait deux régions non éclairées. Renvoyant ses assistants aux endroits en question, il opéra de nouvelles prises de vues.

Crane aurait pu utiliser des flashes électroniques portatifs, qu'il aurait répartis en divers endroits et actionnés par groupes de 20 ; il jugea que ces flashes produiraient un éclair relativement trop faible avec un faisceau lumineux trop étroit étant donné l'effet qu'il recherchait. En utilisant de puissantes lampes-éclair, montées sur des réflecteurs plats, le photographe obtenait un important flux lumineux dans un champ de 180°. De plus, les flashes étant recouverts de filtres rouges, chaque large jaillissement de lumière engendrait l'illusion du sinistre déchaînement d'un feu d'enfer au cœur d'une maison. En effectuant dix expositions de 2 secondes chacune, Crane fournissait suffisamment de lumière à sa pellicule pour pouvoir adopter une ouverture de f/11 et assurer une grande profondeur de champ sans pour autant perdre le scintillement des lumières de Los Angeles, que l'on aperçoit en arrière-plan sur la photographie.

RALPH CRANE : *Après l'incendie de Bel Air,* 1961

La lumière au service de la création du mouvement

BEN ROSE : *Mannequin en « mouvement »*, 1968

Des flashes répétés servent souvent aux photographes à décomposer le mouvement par une série d'images qui révèlent les séquences de l'action : les complexités des rapides mouvements d'une danseuse, la trajectoire incurvée de la balle qui file du lanceur au batteur dans une partie de base-ball. Quant à lui, le photographe Ben Rose se sert des pulsations du flash électronique à des fins exactement inverses, pour créer par exemple du mouvement là où il n'y a en fait aucun déplacement.

Sur les photographies qui illustrent ces deux pages, les mannequins se tiennent absolument immobiles, debout devant un fond de velours noir. Leur apparence de mouvement est engendrée dans l'appareil photographique lui-même. Pour réaliser la photo de gauche, Rose a utilisé quatre flashes stroboscopiques, réglés pour fournir six flashes à la seconde. Son appareil photographique était disposé sur une monture spéciale entraînée latéralement à vitesse constante par un moteur électrique. Pendant que l'appareil « panoramiquait », Rose ouvrit l'obturateur l'espace de 2 secondes environ, le temps pour les flashes successifs d'impressionner une séquence de 48 vues. Pour la photographie de droite, sur laquelle la jeune fille s'avance apparemment vers l'appareil photographique, Rose employa un objectif à distance focale variable (ou zoom) ; il « panoramiqua » et « zooma » tandis que se succédaient les flashes. Les modifications de la taille du sujet sur les diverses images successives résultent de la variation de la distance focale de l'objectif durant l'opération.

BEN ROSE : *Ski et élégance,* 1969

L'éclairage d'un k. o.

Et, soudain, il n'y avait plus de combat. Le premier round n'en était encore qu'à la moitié lorsque le tenant du titre, le poids lourd Sonny Liston s'écroula pour le compte. Retenu par l'arbitre, le jeune champion Mohammed Ali (Cassius Clay) encore déchaîné par le combat l'invectivait et lui enjoignait de se relever. Le k.o. était intervenu si rapidement que la plupart des spectateurs, et aussi les photographes placés au bord du ring, n'avaient pas vu venir le formidable coup qui avait terrassé Liston. Cependant, Neil Leifer, un photographe du SPORTS ILLUSTRATED, avait senti venir le k.o., sans prévoir pour autant que Liston, le favori, en serait la victime ; en fait, il se préparait depuis plusieurs jours à saisir cet instant.

Son appareil photographique Nikon F, doté d'un moteur d'entraînement actionnant la pellicule après chaque prise de vues, était monté sur le bâti qui soutenait le projecteur suspendu au-dessus du ring. (Le micro du commentateur qui pend de ce même bâti est visible sur la photographie.) L'appareil photographique était équipé d'un objectif « fish-eye » de 8 mm, d'un champ de 180°. Le problème principal qui se posait à Leifer était de mettre en place un éclairage suffisamment puissant pour couvrir l'ensemble de la foule des spectateurs, tout en permettant d'opérer avec une grande vitesse d'obturation pour figer le déroulement rapide de l'action centrale. Pour renforcer l'ensemble de l'éclairage, Leifer mit en place 40 flashes électroniques groupés en un seul circuit. Certains de ces flashes étaient montés sur le bâti auquel était fixé l'appareil photographique, d'autres étaient suspendus à la voûte de la salle.

Leifer choisit avec soin l'instant du déclenchement de ses prises de vues, car il lui fallait attendre de 25 à 30 secondes après chaque exposition pour que fût rechargé l'ensemble des flashes électroniques. Son choix se révéla judicieux ; tout en opérant à hauteur du ring avec un autre appareil pour obtenir des gros plans, Leifer faisait déclencher par son assistant, grâce à une télécommande, l'obturateur de l'appareil situé 45 mètres plus haut et, de la sorte, il réussit à fixer un des instants les plus dramatiques de l'histoire de la boxe.

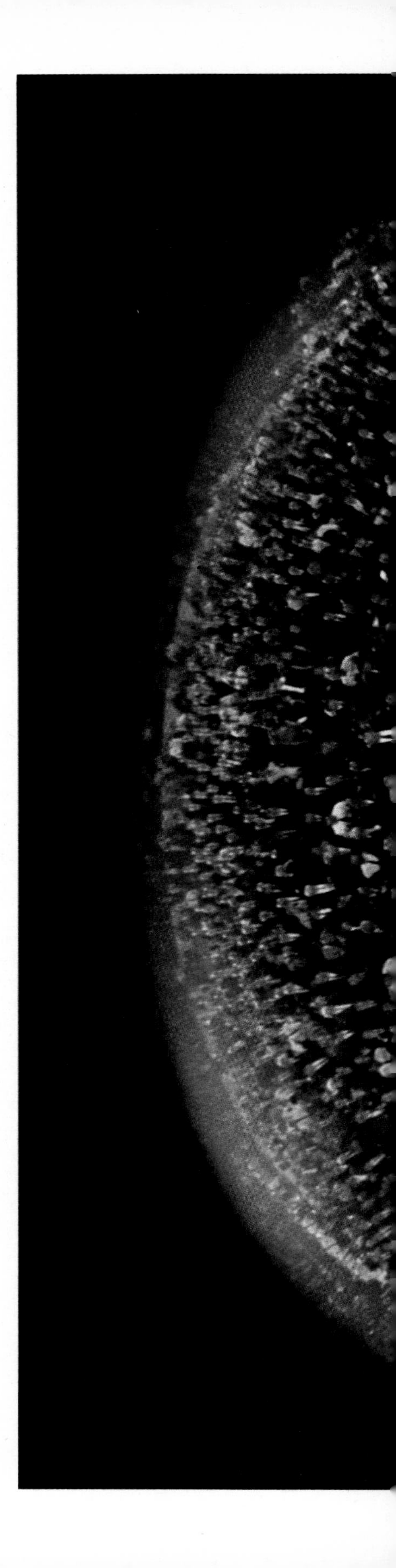

NEIL LEIFER : *Vainqueur et vaincu,* 1965

Éclairage total

De tous les problèmes d'éclairage posés aux photographes de LIFE, celui que souleva la couverture du reportage photographique du voyage du pape Paul VI aux États-Unis, en 1965, fut un des plus délicats à résoudre. Deux des principaux événements devaient se dérouler à quelques heures d'intervalle, le premier à l'intérieur de la cathédrale Saint-Patrick, le second en plein air et de nuit au Yankee Stadium.

La vaste et sombre enceinte de la cathédrale Saint-Patrick de New York servait de cadre à la première cérémonie liturgique célébrée en présence du pape. Pour obtenir une photographie en couleurs de l'entrée du pontife dans la basilique, le photographe Yale Joel devait utiliser la moindre lumière disponible. En disposant 50 flashes électroniques mobiles dans la galerie supérieure, il obtint un éclairage suffisant *(à droite).* Cependant, ayant réquisitionné pour cette photographie pratiquement tout l'équipement dont LIFE disposait, il était nécessaire d'envisager un autre genre d'éclairage pour la messe pontificale au Yankee Stadium.

Ralph Morse s'était vu désigné pour couvrir cette mission ; il savait que la partie centrale de la scène se trouverait déjà puissamment éclairée par les batteries de projecteurs mises en place par la télévision et dont les faisceaux convergeaient sur l'autel. Morse entendait incorporer à sa photographie partie de la foule des 90 000 spectateurs et il lui fallait donc braquer sur celle-ci un certain nombre de projecteurs pour renforcer le dispositif d'éclairage de la télévision. Pour que son propre éclairage ne fût pas déséquilibré par la puissance de la lumière dirigée sur l'autel, il dut disséminer au-dessus de la foule plus d'une centaine de projecteurs afin d'éclairer les coins les plus sombres des tribunes. Tous ses laborieux efforts furent récompensés par l'obtention d'une photographie *(page opposée)* qui traduisait de façon spectaculaire l'élan de milliers de fidèles priant sous la direction du saint-père.

YALE JOEL : *Le pape Paul VI pénétrant dans la cathédrale Saint-Patrick,* 1965

RALPH MORSE : *Messe papale au Yankee Stadium*, 1965

Association de la lumière naturelle et de la lumière artificielle

Pour réaliser ces photographies *(pages 214-215)*, le photographe Arnold Newman a associé la lumière naturelle et la lumière artificielle, en les équilibrant de façon à obtenir des effets différents. Dans le portrait d'Alfried Krupp von Bohlen und Halbach, le grand industriel allemand, autrefois fabricant d'armes, Newman a cherché à évoquer le côté maléfique que symbolisait ce personnage en tant que grand maître du travail forcé durant la guerre. Il fit poser Krupp dans le sinistre décor d'une de ses usines. Un faible jour filtrait à travers de lugubres châssis vitrés, et deux spots (garnis de filtres bleus) furent disposés à faible hauteur du sol, afin de projeter des ombres heurtées sur le visage de Krupp. Newman tira parti d'une caractéristique particulière des pellicules en couleurs « lumière du jour » ; le rendu des couleurs de ces pellicules a tendance à se modifier si l'exposition est prolongée. L'éclairement exigeait un temps de pose de plus d'une seconde. Ce temps suffisait pour engendrer des reflets verdâtres sur la peau de Krupp, renforçant son air malveillant.

Le portrait plus flatteur de l'architecte Louis Kahn *(page opposée)*, réalisé par Newman, constitue un autre délicat exercice d'harmonisation de l'éclairage. Newman souhaitait faire ressortir le décor extérieur mais aussi le décor intérieur de la galerie d'art de l'université de Yale ; il prit sa photo au crépuscule, alors que les lumières étaient déjà allumées à l'intérieur de la galerie mais que les rayons de soleil couchant éclairaient encore la façade du bâtiment. Il choisit une pellicule en couleurs type « lumière artificielle », qui permet de respecter l'équilibre des couleurs. Elle convenait, tant à la lumière émise par les lampes à incandescence de l'éclairage du bâtiment qu'à celle des deux spots éclairant la tête de l'architecte. Il obtint ainsi un visage chaleureux et naturel, se détachant sur le fond froid et teinté de bleu, éclairé par les rayons pâlissants du soleil.

ARNOLD NEWMAN : *Alfried Krupp von Bohlen und Halbach*, 1963

ARNOLD NEWMAN : *Louis Kahn,* 1964

Harmonisation de la lumière dans deux milieux différents

Pour obtenir cette photographie de deux représentants très différents de la vie animale, en train de se partager les eaux pures d'un ruisseau du Montana, le photographe de LIFE George Silk dut déployer de l'ingéniosité et bénéficier d'une certaine chance. Il s'était installé au bord d'un cours d'eau pour photographier une truite arc-en-ciel, grâce à un appareil photographique disposé dans une boîte garnie d'une vitre et partiellement immergée *(schéma ci-dessous)*. Peu après s'être mis au travail, il remarqua qu'un faon venait boire à ce cours d'eau chaque jour, tard dans l'après-midi. Il devina l'impact que représenterait une photographie montrant le poisson et le faon profitant ensemble de l'eau. Cependant, la lumière qui éclairait le royaume de la truite était bien plus faible que celle de la surface, éclaboussée de soleil. Silk disposa un unique flash braqué sur l'eau ; il le plaça au bord du ruisseau et assez près de la surface pour que l'éclair du flash projetât au sein de l'eau une illumination d'une qualité semblable à l'éclairement de la lumière du jour, à l'heure où le faon venait boire. Silk chargea son Hasselblad d'une pellicule Ektachrome High Speed et régla l'appareil à une ouverture de f/22 (qui lui assurait une profondeur de champ maximum) et à une vitesse d'obturation de 1/60e de seconde. Désormais, il était prêt. Il note : « Le faon se comporta en excellent acteur, il marcha jusqu'au ruisseau, but, regarda aux alentours et j'eus le temps de prendre plusieurs instantanés avant qu'il disparût. »

GEORGE SILK : *Le faon et la truite,* 1961

La capture de la lumière du laser

Peu après 1960, les rédacteurs de LIFE chargèrent Fritz Goro d'une étude du laser, une invention qui commençait à retenir l'attention du grand public, en raison de ses multiples applications dans des domaines aussi variés que ceux des télécommunications ou de la chirurgie. A la différence d'un faisceau de lumière ordinaire, le faisceau d'un rayon laser ne subit qu'une faible dispersion, même au cours d'un long trajet, et il peut donc être dirigé sur un point donné avec une extrême précision. Une telle source d'énergie, que l'on peut concentrer avec tant de précision, est souvent employée en chirurgie pour fixer en place une rétine après un décollement. La technique fut mise au point grâce à des opérations expérimentales pratiquées sur des animaux.

Lorsque Goro décida de photographier un lapin au cours d'une de ces interventions, les spécialistes intéressés déclarèrent que le projet était pratiquement irréalisable en raison de la difficulté qu'il y aurait à saisir l'image du rayon laser sur une pellicule. Le laser était constitué d'une fine tige de rubis synthétique, qui émettait une lumière rouge sous l'impact de la lumière blanche d'un tube éclair. Le rayon laser n'était émis que pendant quelques millièmes de seconde et Goro découvrit qu'il était invisible dans les conditions d'éclairement normal du laboratoire. Toutefois, il savait que le rayon laser devenait visible lorsqu'il traversait un milieu contenant une fumée d'une densité bien déterminée.

Goro fit construire une boîte spéciale, destinée à contenir le lapin et la fumée. Il alluma des briquettes d'encens et insuffla la fumée dans la boîte à l'aide d'un minuscule soufflet. Après des douzaines d'essais d'exposition, Goro trouva les conditions d'opération satisfaisantes : pellicule Ektachrome High Speed, type « lumière artificielle », ouverture de f/8, densité de fumée donnée. Le résultat présenté à droite constitue la première photographie d'un laser en action.

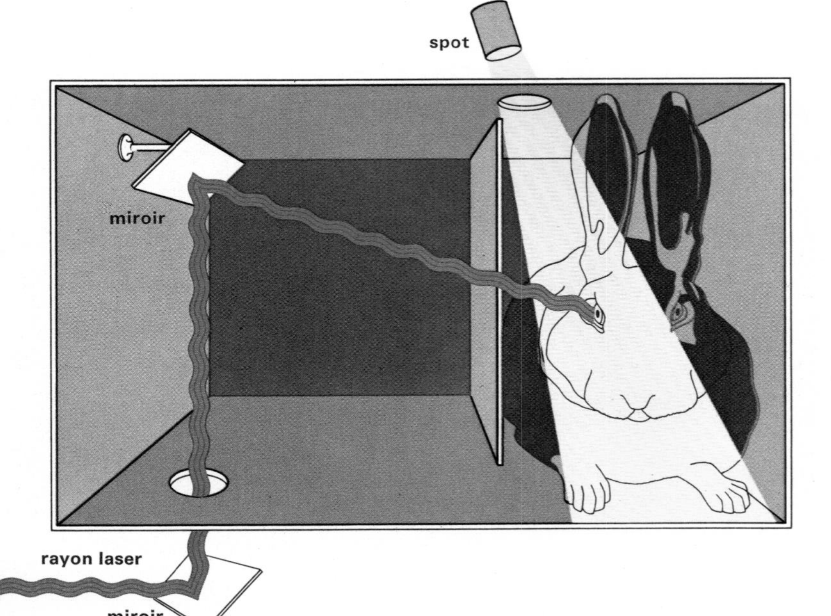

FRITZ GORO : *Chirurgie au laser,* 1961

Intromission de la lumière dans le corps humain

Lennart Nilsson, un photographe suédois réputé pour les photos qu'il a prises de l'intérieur du corps humain, a réussi à introduire son objectif dans des lieux aussi secrets que la matrice d'une femme ou les dédales d'une artère. Une de ses incursions photographiques les plus étonnantes a eu pour théâtre l'oreille moyenne, un espace guère plus gros qu'un petit morceau de sucre cubique.

La photo à droite montre l'oreille interne, l'objectif regardant vers le tympan. Prise au cours d'une autopsie, cette photographie révèle le délicat mécanisme que constituent les osselets — le marteau, l'enclume et l'étrier — chargés de transmettre les vibrations du tympan à la base interne. La photo a été obtenue grâce à un minuscule objectif « fish-eye » monté à l'extrémité d'un tube creux. L'image était envoyée à un second objectif d'un centimètre de diamètre, qui la grossissait 20 fois avant de la transmettre à la pellicule.

Pour envoyer de la lumière à l'intérieur de la cavité, Nilsson utilisa des cordons conducteurs flexibles, faits de fibres de verre. La lumière, collectée par les fibres à une des extrémités du cordon, se propage le long de ces fibres à la façon de l'eau s'écoulant dans un tuyau d'arrosage. Nilsson se servit de deux cordons, véhiculant chacun la lumière émise par une lampe de 150 watts, du genre de celles qu'on utilise dans les projecteurs de diapositives ; un cordon aboutissait juste derrière le fish-eye et l'autre à la face externe du tympan. Pour compenser l'effet de la lumière verdâtre produite par les cordons, le photographe équipa son objectif d'un filtre rose. Quoiqu'il n'ait pas la réputation de chanter d'habitude ses propres louanges, Nilsson fut impressionné par le résultat et s'écria que cette photographie de l'oreille moyenne était « incroyable ». □

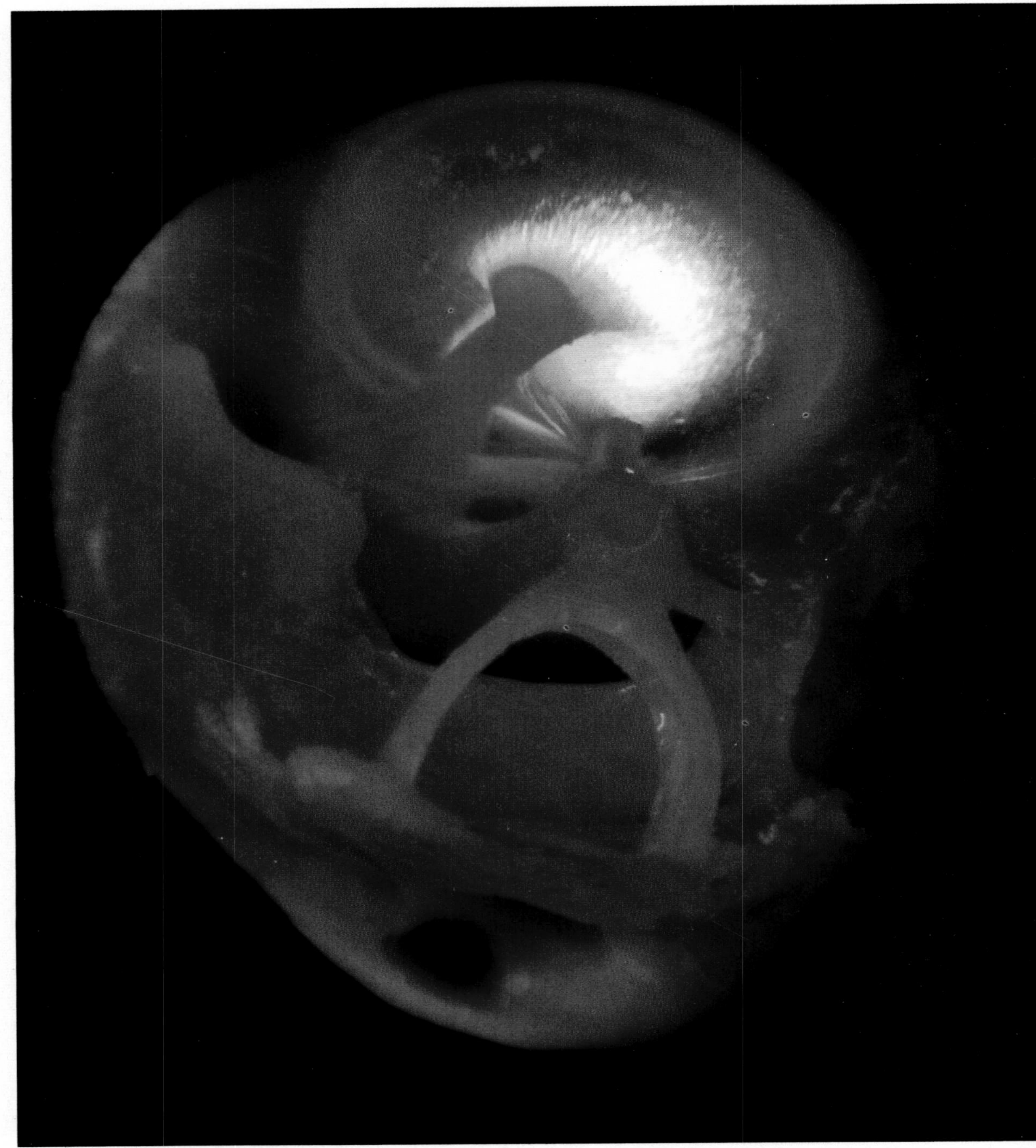

LENNART NILSSON : *L'oreille moyenne,* 1969

Bibliographie

Sujets généraux :

Caillaud L., M. Bovis, *Initiation à la photographie.* Le Bélier-Prisma, 1969.

Chombart de Lauwe P., *la Découverte aérienne du monde.* Horizons de France, 1948.

Deribère M., *le Monde à vol d'oiseau.* Larousse, 1953.

Deribère M., Porchez J., Tendron G., *la Photographie scientifique,* Publications Paul Montel, 1951.

Glafkides P., *Chimie et physique photographiques,* Publications Paul Montel, 1970.

Millaud R., *la Photographie.* Hachette, 1951.

Sonthonnaz P., *la Photographie, cette inconnue.* Arthaud, 1953.

Zin H., Burnett R.W., *Photographie,* Hachette, 1963.

Histoire et biographie :

Franck P., *Einstein, sa vie et son temps.* Albin Michel, 1950.

Lecuyer R., *Histoire de la photographie.* Baschet, 1945.

Pollack P., Sougez E., *Histoire mondiale de la photographie.* Hachette, 1961.

Vaucouleurs, G. de, *la Photographie astronomique : Du daguerréotype au télescope électronique.* Albin Michel, 1958.

Sujets spéciaux :

Andreani R., *Posemètres à cellule photo-électrique.* Éditions de Francia, Lyon, 1958.

Andreani R., *le Temps de pose et les posemètres,* Editions de Francia, Lyon.

Chombart de Lauwe P., *Photographies aériennes: Méthodes, Procédés, Interprétation.* A. Colin, 1951.

Clerc L.P., *la Technique photographique.* Publications Paul Montel, 1957.

Glafkides P., *Chimie photographique.* Publications Paul Montel, 1957.

Glafkides P., *le Développement des papiers,* Publications Paul Montel.

Hurault L., *l'Examen stéréoscopique des photographies aériennes.* I.G.N., 1960.

Jacobson C.J., *l'Agrandissement.* Le Bélier-Prisma, 1956.

Lorelle L., *le Guide du photographe amateur.* Publications Paul Montel, 1970.

Pizon P., *Photomacrographie et photomicrographie,* Editions de la Revue d'Optique, 1950.

Prinet J., *la Photographie et ses applications.* P.U.F., Que Sais-je? 1965.

Prioleaud J., *Technique et pratique du développement.* Publications Paul Montel, 1971.

Prioleaud J., *Technique et pratique du tirage.* Publications Paul Montel, 1971.

Prioleaud J., de Zitter, *Agrandir,* Publications Paul Montel, 1971.

Rebikoff D., *la Pratique du flash électronique.* Publications Paul Montel, 1958.

Sommer J. et F., *la Photographie corpusculaire.* Presses Universitaires, Montréal, 1960.

Thévenet A., Bénezet J., *Photos au flash,* 1971.

Eastman Kodak :

Applied Infrared Photography, Eastman Kodak, 1968.

Filters for Black and White and Color Pictures, Eastman Kodak, 1969.

Flash Pictures, Eastman Kodak, 1967.

Kodak Black and White Films in Rolls, Eastman Kodak, 1967.

Pictures, Eastman Kodak, 1969.

Publications :

Photo Cinéma, Publications Paul Montel, Paris.

Photo Ciné-Revue, Éditions de Francia, Lyon.

Photo, Editions Philippachi, Paris.

Photographie Nouvelle, Société Optiphot, Paris.

Photo Tribune, Anvers.

Zoom, le magazine de l'image, édité par Publigness, Paris.

Remerciements

Pour l'aide qu'ils ont apportée à cet ouvrage, les rédacteurs de la collection tiennent à exprimer leurs remerciements aux personnes et organismes dont les noms suivent : Myles Adler, département des relations publiques, AGFA-Gevaert, Inc., Teberboro, New Jersey; Archives photographiques, Art Institute of Chicago, Illinois; Norbert S. Baer, Institute of Fine Arts, Université de New York, New York; Samuel Berkey, président, Berkey Photo, Inc., New York; Richard O. Berube, service de la publicité, Polaroid Corporation, Cambridge, Massachusetts; Robert E. Bilbey, directeur des services publicité et de la promotion des ventes, et Richard Craig, spécialiste des produits aérospasciaux, Weston Instruments, Inc., Newark, New Jersey; Priscilla Bresbery, Society of Illuminating Engineers, New York; Josephine Cobb, iconographe, services généraux de l'Administration aux National Archives and Records Service, Washington, D.C.; Glen F. Cruze, ingénieur, Mallory Battery Co., Tarrytown, New York; Peter Denzer, Brooklyn, New York; Stanley Erinwein, Tiffen Manufacturing Corp., Roslyn Heights, New York; George Eastman House, Rochester, New York; Fritz Goro, Chappaqua, New York; David Haberstich, muséologiste, section photographie de la Smithsonian Institution, Washington D.C.; James Hartnett, directeur du service photographique, Polaroid Corporation, Cambridge, Massachusetts; James D. Horan, Weehawken, New Jersey; Mel Ingber, Bellerose, New York; Charles C. Irby, conservateur adjoint des collections de photographie, Collection Gernsheim, Humanities Research Center, Université du Texas, Austin; Kling Photo Corp., Woodside, New York; David S. Lewandowski, service de la publicité des produits, GAF Corp., New York; John W. Mathewson, directeur des ventes, Herbick & Held Printing Co., Pittsburgh, Pennsylvania; Edward Murphy, service de la clientèle, Ehrenreich Photo-Optical Industries, Inc., Garden City, New York; Allan Porter, rédacteur en chef, *Camera* magazine, Lucerne, Suisse; William P. Ryan, vice président de Calumet Manufacturing Co., Chicago, Illinois; Patricia Savoia et Elfriede Merman, The Manhattan Ballet School, New York; Leonard Soned, New York; William F. Swann, directeur et expert du département commerce et industrie, Eastman Kodak Co., Rochester, New York; John L. Tupper, Cousin's Island, Yarmouth, Maine; Robert Walch, Brooklyn, New York; Joel Snyder, Chicago, Illinois; David Vestal, rédacteur adjoint de *Travel and Camera* et de *Camera 35,* U.S. Camera Publishing Co., New York; Peter Wehmann, comptabilité clients, Needham, Harper & Steers, Inc., New York; Paul Wentz, département photographique, Honeywell, Inc., Long Island City, New York.

Sources des illustrations *Les sources des illustrations sont séparées de gauche à droite par des virgules; de haut en bas par des tirets.*

COUVERTURE — Harold Zipkowitz.

Chapitre 1 : 11 — Ken Kay. 12, 13 — Dessins par Pierre Haubensak. 14, 15 — Observatoire du Mont Wilson — dessin par Virginia Wells — dessins par Pierre Haubensak. 16, 17 — Observatoire du Mont Wilson; dessin par Pierre Haubensak; NASA. 18, 19 — Soleil : Observatoire du Mont Wilson; Terre : NASA, dessin par Pierre Haubensak; Harald Sund (Nancy Palmer). 20, 21 — Dessins par Pierre Haubensak; Harald Sund (Nancy Palmer). 22, 23 — Dessin par Pierre Haubensak; Harald Sund (Nancy Palmer). 24, 25 — Dessin par Pierre Haubensak; Jan Lukas. 27 — Charles Harbutt © 1967 (Magnum). 28 — © Robert Gnant. 29 — Irwin Dermer. 30, 31 — Ray Metzker; Neal Slavin. 32 — Harry Callahan. 33 — Leonard Freed (Magnum). 34 — Edward Weston, avec l'autorisation de George Eastman House. 35 — Pierre Jousson. 36 — © Harold Miller Null. 37 — © William Garnett. 38 — George Krause. 39 — Frantisek Drtikol, avec l'autorisation de *Camera*. 40 — Kenneth Josephson. 41 — Lars Werner Thieme. 42 — Ronald Mesaros.

Chapitre 2 : 45 — Avec l'autorisation de André Jammes, Paris, Eddy van der Veen. 59 — Avec l'autorisation du Metropolitan Museum of Art, New York. 60, 61 — Joel Snyder. 62, 63 — Avec l'autorisation de la Smithsonian Institution, Paulus Leeser. 64, 65 — Avec l'autorisation de la Bibliothèque municipale de Cincinnati, The Longley Studio, Cincinnati — avec l'autorisation de George Eastman House. 66, 67 — Joel Snyder. 68, 69 — Avec l'autorisation de Jean Dieterle, Paris; tirée de S.N.E.P. Illustration, © Baschet et Cie, Paris. 70 — Avec l'autorisation de la Smithsonian Institution. 71 — Avec l'autorisation de la Smithsonian Institution, Paulus Leeser. 72, 73 — Joel Snyder. 74 — Avec l'autorisation du service des Archives photographiques, Bibliothèque Nationale, Paris. 75, 76 — Avec l'autorisation de la Smithsonian Institution, Paulus Leeser.

Chapitre 3 : 79 — Collection Robert A. Weinstein, Los Angeles. 81 — Staatliche Landesbildstelle, Hambourg. 82, 83 — Avec l'autorisation de l'Humanities Research Center, Collection Gernsheim, université du Texas, Austin. 85 — Copyright © 1966 par James D. Horan, Frank Lerner. 86, 87 — Culver Pictures. 88, 89 — Avec l'autorisation de la Smithsonian Institution, Archives nationales anthropologiques. De 90 à 93 — Avec l'autorisation de la Fondation Primoli, Rome. 94 — Avec l'autorisation de l'Humanities Research Center, Collection Gernsheim, université du Texas, Austin; avec l'autorisation de George Eastman House (2). 95 — Avec l'autorisation de l'Humanities Research Center, Collection Gernsheim, université du Texas, Austin, à l'exception des photos au centre en haut, au milieu à gauche, en bas à droite, avec l'autorisation de George Eastman House. 97 — Avec l'autorisation des Archives Nationales, Groupe des Documents n° III. 98 — Avec l'autorisation de l'université de Pennsylvanie, la Charles Van Pelt Library. 99 — Avec l'autorisation de la New York Historical Society. 100, 101 — Avec l'autorisation du Metropolitan Museum of Art; avec l'autorisation de la Bibliothèque du Congrès, Collection Brady. 102, 103 — Avec l'autorisation du Metropolitan Museum of Art. 105 — Avec l'autorisation de la C.P.R. Peacock, Derek Bayes. 106, 107 — Avec l'autorisation de l'Humanities Research Center, Collection Gernsheim, université du Texas, Austin. 108 — Avec l'autorisation du musée des Beaux-Arts, Copenhague. 109 — Avec l'autorisation du Staatliche Landesbildstelle, Hambourg. 110, 111 — Avec l'autorisation du Art Institute, Chicago. De 112 à 118 — Ernst Höltzer, avec l'autorisation de Roland Hehn, Berlin.

Chapitre 4 : 121 — Evelyn Hofer. 124 — Dessins par Nicholas Fasciano. 125 — Harold Zipkowitz — dessin par Nicholas Fasciano — Minor White. 126, 127 — Ken Kay à l'exception du dessin par Jean Held. 128, 129 — Sebastian Milito. 130, 131 — Ann Douglass. 132, 133 — Leonard Soned — dessins par Jean Held. 134, 135 — Dessins par Nicholas Fasciano. 136, 137 — Evelyn Hofer. 139 — Jean-Loup Sieff. 140 — Robert Lebeck. 141 — Gary Renaud. 142, 143 — William Klein. 144, 145 — Mel Ingber. 146, 147 — Werner Köhler. 148, 149 — Minor White. 150, 151 — Marie Cosindas. 152 — © Philippe Halsman.

Chapitre 5 : 155 — Harold Zipkowitz; Mallory Battery Co., Frank Biondo. 158, 159 — Dessins par Nicholas Fasciano; Harold Zipkowitz. 160 — Ken Kay. 161 — Ken Kay (4) — Henry Groskinsky (3). 162 — Ken Kay. 163 — Ken Kay (4) — Henry Groskinsky (3). 164 — Dessin par John Svezia — Lou Carrano; Robert Walch et Lou Carrano. 165 — Robert Walch. 166, 167 — Dessins par John Svezia; John Senzer. 168 — Dessin par John Svezia; John Senzer. 169 — Marcia Keegan. 171 — David Van Deveer, Marini, Climes and Guip, Inc. 172 — Michael Semak. 173 — Neal Slavin. 174 — Wilton Tifft. 175 — Neal Slavin. 176 — John Senzer — dessin par Pierre Haubensak. 177 — Dessins par Pierre Hanbensak; Marcia Keegan — Leonard Soned. 178 — Dessin par Pierre Haubensak — Leonard Soned.

Chapitre 6 : 181 — Howard Harrison. 182, 183 — Henry Groskinsky. 184 — E. Gehri, avec l'autorisation de *Camera*. 185 — Gary Renaud. De 186 à 199 — Photographies par Henry Groskinsky, dessins par Nicholas Fasciano, à l'exception des pages 190, 191 — photographies par John Senzer. 192, 193 — Chat, avec l'autorisation du Animal Talent Scouts. 198, 199 — Danseurs de l'Ecole de Ballet de Manhattan, New York. 201, 202, 203 — Ralph Morse. 205 — Mark Kauffman. 206, 207 — Ralph Crane. 208, 209 — © Ben Rose. 210, 211 — Neil Leifer pour SPORTS ILLUSTRATED. 212 — Yale Joel. 213 — Ralph Morse. 214, 215 — © Arnold Newman. 216, 217 — Dessin par Nicholas Fasciano; George Silk. 218, 219 — Dessin par Nicholas Fasciano; Fritz Goro. 220 — Lennart Nilsson.

Index

Finito di stampare
nel mese di aprile 1975
presso le Officine Grafiche
Arnoldo Mondadori - Verona
Printed in Italy